ドイツ人はなぜ「自己肯定感」が高いのか

キューリング恵美子
Kuehling Emiko

小学館新書

プロローグ　なぜドイツ人女性はメイクをしないのか

〝息苦しさ〟を感じた日本での生活

新型コロナウイルス禍は世界中の人々の生活を激変させました。外出時のマスク着用はもちろん、テレワークやリモート生活が日常的になり、旅行や帰省、食べ歩きやレジャーも一時的に制限されるようになりました。

海外在住の日本人にとっても、非常に大きな影響が生じています。国をまたいだ移動が難しくなり、日本へ帰ることも、また日本から出ることも自由にできなくなりました。

そんなコロナ・パンデミックに襲われる直前の2019年12月、たまたま私はドイツから一時帰国して、十数年ぶりに日本に長期滞在することができました。

久しぶりの日本での生活は何もかも楽しくて嬉しくて、日本製品の便利さに感激したり、都市の様変わりに感動したりと、毎日が驚きの連続でした。

お店に行けば、ドイツとは違って丁寧にもてなしてもらえるし、さまざまな場所で人の温かみを感じることができました。

しかし、1か月が経とうとしていたころ、なんだか疲れて、息苦しさを感じるようになってしまったのです。買い物やレストランに行くのも億劫《おっくう》になってきて、「もう、ドイツに帰りたい」とすら思うようになりました。

ドイツ在住が長くなったために、日本では当たり前の習慣や気配りに違和感を抱いたのかもしれませんが、私はふと、ドイツでの生活を知らなかったころの自分を思い出していました。当時もまた、日本での日常生活にどこか〝息苦しさ〟を感じていたのです。

他人の目ばかり気にしていた20代

私は大学卒業後、靴メーカーの東京本社の営業部に就職しました。ちょうどその年（1986年）、男女雇用機会均等法が施行されたこともあって、幸運なことに、私は会社初の女性外務員として採用されたのです。

でも、期待に胸を膨らませて入社した20代の私を待ち受けていたのは、想像とはかけ離れた現実でした。

「女性」である私は、他の女性社員と同じように制服を着て、お茶当番などの業務をしつつ、外務の仕事がある日は私服に着替えて、男性と同じように取引先へと営業に向かっていました。

すると、女性社員からはしだいに距離を置かれ、私だけが浮いた存在になっていきました。男性社員からは「女に何ができるんだ」と子ども扱い。モヤモヤとした違和感を覚えていましたが、それを表明できるような「空気」は会社にはありませんでした。

そんな毎日の中、私が選択した態度は「他人に嫌われないように」「みんなとうまくやれるように」などに専念すること。

阿吽《あうん》の呼吸で場の空気を読み、他者への心配りを第一に考え、気遣いを忘れず、決して出すぎたマネをしない。そうすれば、誰にも嫌われないはず……。

でも、そんな働き方をしていると、しだいに何のために働いているのかわからなくなり、心と体は疲れ果ててしまいました。

逃げるように退職し、心機一転転職しましたが、その後も残業続きの毎日の中で、他人の目ばかり気にしていた20代の私は、ただ仕事に追われて、苦しいばかりの時間を過ごしていました。

自分の楽しみや幸せを感じていた記憶はほとんどなく、他人に怯《おび》えるばかりの生活だったと思います。

そう、そのころの私は「他人の人生」を生きていたのです。

久しぶりに日本に一時帰国し、疲れを感じてドイツに帰りたくなったのは、自分を押し殺し、相手を思いやる優しさや過剰なサービスを受けることに、無意識にストレスを感じてしまったからのようです。街で見かける人々の姿を、「他人の人生」を生きていた20代のころの自分と重ね合わせて、胸が押しつぶされそうになってしまったのです。

驚きの連続だった〝ドイツの常識〟

その後、私にも転機が訪れます。私はドイツ人の男性と付き合うことになり、ドイツ企業の日本本社に転職後、国際結婚。ドイツ語の知識はゼロのまま、友人も知人もまったくいない、ドイツのミュンヘン近郊に移住することになりました。34歳のときでした。

ドイツで生活をし始めると、ドイツと日本の文化や習慣、考え方や行動の違いに触れ、毎日が驚きの連続でした。たとえばドイツでは、

・見知らぬ人が、アジア人の私にも気軽に話しかけてくる
・重い荷物を持っていると、必ず階段やドアの前で知らない人が助けてくれる
・大きな声で喧嘩をしているように見えても、ただ話し合っているだけのことが多い
・日曜日と祝日は、レストラン、カフェ、映画館以外は開いていない
・サウナは混浴が基本で、裸を見られても平気
・ビールは注《つ》がない、気遣いの「おもてなし」はしない
・服装やヘアスタイルの流行を追わない
・職場でも街中でも、多くの女性がノーメイク　etc.

なかでも、一番目についたのは、ノーメイクの女性が多いこと多いこと。

私は日本で働いていた10年間、一度たりともメイクをせずに出社したことはありませんでした。普段の生活でも、外出時には欠かしません。

日本では、身だしなみのエチケットとして、女性がメイクをするのは常識とされています。もちろん、自分がきれいになって気分が上がる部分もありますが、メイクをしたくないのにしている人だっているでしょう。

でも、ドイツ人女性は違ったのです。

職場だけでなく、街行く人、近所ですれ違う人、多くのドイツ人女性は、ノーメイクで颯爽《さっそう》と歩いていました。仕事に行くにも、日常生活でもノーメイク。その風景は、私にとって不思議でなりませんでした。

「自分にとって大切なもの」を知っている

なぜ、ドイツ人女性はメイクをしていないのか？

その理由は、20年以上ドイツで暮らし、仕事や子育て、近所付き合い、夫の家族や友人たちとの交流をする中で、私にもわかるようになりました。

ドイツ人は「自己肯定感」が高いのです。ドイツ人は、自分が好きなもの、自分にとって大切なものを知っています。そして、自分の考えや主張を、自信を持って伝えられる人たち、他人に振り回されない「自分軸」を持った人たちなのです。

ドイツ人は自己肯定感が高いからこそ、「メイクをしたいときはする」「メイクをしたくないときはしない」という、他人に振り回されない生き方ができているのです。

ドイツ人の自己肯定感の高さを感じられるエピソードはたくさんあります。たとえば、

・就業時間内に必ず業務を終える
・上司や同僚の目を気にしない
・長期休暇をきちんと消化する
・幼稚園から自己肯定感を育てる教育をしている
・他人に過剰に気を遣わない
・他人に共感するのではなく、納得するまで主張をぶつけ合う
・誰にでも対等に接して、いい人間関係を作れる

・世間体よりも自分らしさを大切にし、居心地よく生きている

自己肯定感が高いドイツ人は、決して「ひとりよがり」に生きているわけではありません。自分を尊重して大切にしているため、そのぶん、どんな相手に対しても平等に、相手の立場を尊重しています。

たとえば、アジア人女性の私に対して、マンションの隣人が突然「卵がないから貸して！」とやってきたかと思えば、その翌日「おかげ様でいいケーキが焼けたわ」とケーキをプレゼントしてくれたことがありました。スーパーで目当ての商品が見つからなくて困っていると、「一緒に探しましょう！」と声をかけてくる人もいれば、ベビーカーを持って階段を登ろうとすると、必ずと言っていいほど助けてくれる人がいます。

このように、ドイツ人は自分が信じていること、大切にしていることが明確なため、世間体や場の空気を気にせず、自分がしたいことをしているのです。

つまり、ドイツ人は「自分の人生」を生きていると言えます。場の空気を読み、他人に嫌われないように生きてきた自分とは、まったく違っていました。

「自己肯定感」とは何か？

「自己肯定感」という言葉は、一般にも広く知られるようになりました。

もともとは立命館大学名誉教授で臨床心理学者の高垣忠一郎《たかがきちゅういちろう》氏が、没個性化が進んでいた日本の子どもたちの状況を説明する際の用語として使い始めたそうです。

現在、研究者によってさまざまな定義がされていますが、『自己肯定感の教科書』（中島輝著・ＳＢクリエイティブ）によれば、自己肯定感について考えるとき、次の「６つの感覚」がキーワードとされています。

・自尊感情（自分には価値があると思える感覚）
・自己受容感（ありのままの自分を認める感覚）
・自己効力感（自分にはできると思える感覚）
・自己信頼感（自分を信じられる感覚）
・自己決定感（自分で決定できるという感覚）

・自己有用感（自分は何かの役に立っているという感覚）

これら6つの感覚は、どれもが影響を及ぼし合っていて、それぞれの感覚が充実していることが「自己肯定感が高い」ということにつながります。

かつての私は、すべての感覚において「自己肯定感が低い」状態でした。

自分には価値はなく、ありのままの自分を見失っていて、自分は何もできず、だから自分も信じられず、歩むべき道を自分で決められず、誰かの役に立っている感覚もありませんでした。「他人の人生」を生きていると、自己肯定感はどんどん低くなってしまうのです。

一方、ドイツの人の多くは違いました。彼ら彼女らは、自分の価値を疑わず、ありのままの自分に自信を持ち、自分で物事を判断し、常に誰かの役に立つような生き方をしています。彼ら彼女らは「自分の人生」を歩んでいるから、のびのびと自由に、幸福感を感じながら生きていられるのです。

このことは次のデータからも読み解くことができます。

自己肯定感が高いドイツ人／低い日本人

2019年6月、内閣府は「我が国と諸外国の若者の意識に関する調査（平成30年度）」を発表しました。この調査は、日本、韓国、アメリカ、イギリス、ドイツ、フランス、スウェーデンの7か国の若者（13〜29歳）に、人生観や学校、家庭、国家などについてアンケート調査したものです。

それによれば、「自分自身に満足している」という質問に「そう思う」「どちらかといえばそう思う」と答えた日本人は半分弱で、調査国中で最低だったのに対して、ドイツ人はその2倍近い8割以上で、アメリカ、フランスに次ぐ数字となっています。

さらに、「自分には長所があると感じている」という質問に「そう思う」「どちらかといえばそう思う」と答えた日本人は6割強いましたが、これも調査国の中では最低でした。一方、ドイツ人は実に9割以上に達し、調査国の中でトップでした。ドイツ人がいかに自分に自信があるかをよく示しています。

また逆に、「自分は役に立たないと強く感じる」という質問には、日本人は5割弱しか

グラフ1＜データからわかるドイツ人の自己肯定感の高さ＞

Q. 私は、自分自身に満足している　そう思う＋どちらかといえばそう思う

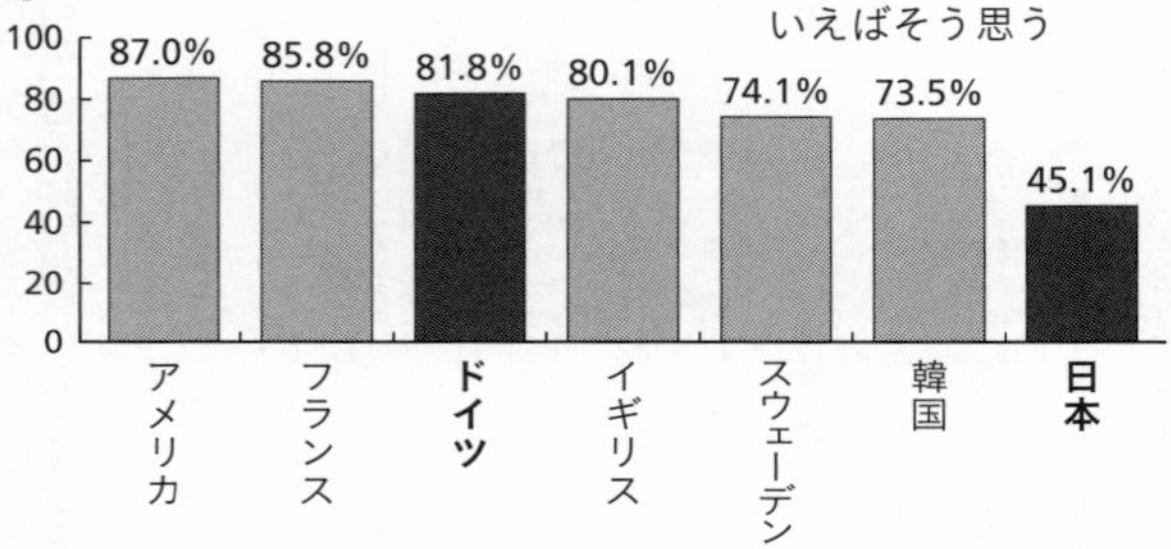

Q. 自分には長所があると感じている　そう思う＋どちらかといえばそう思う

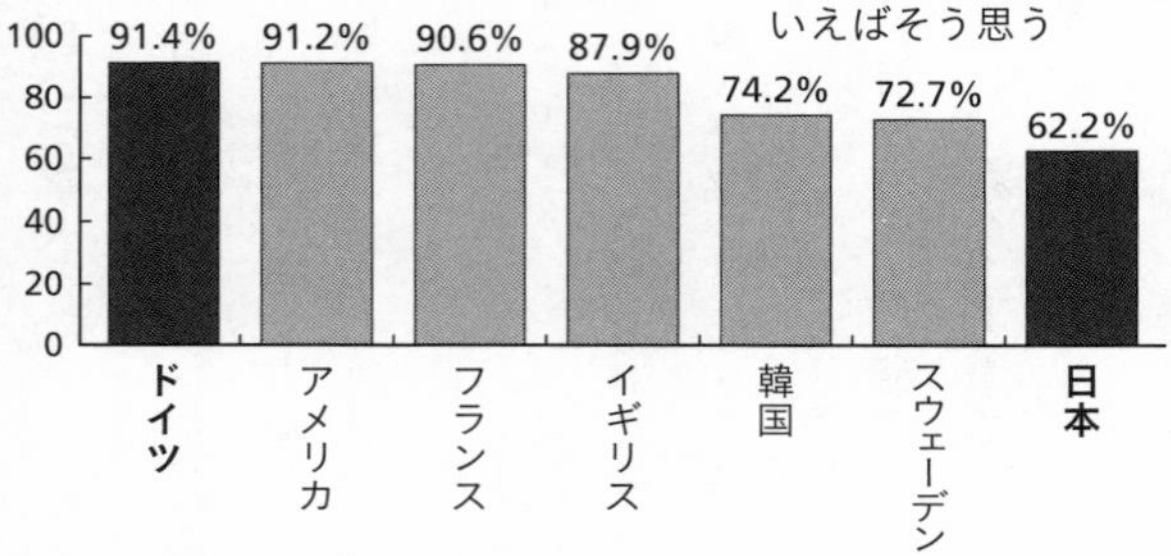

Q. 自分は役に立たないと強く感じる　そう思わない＋どちらかといえばそう思わない

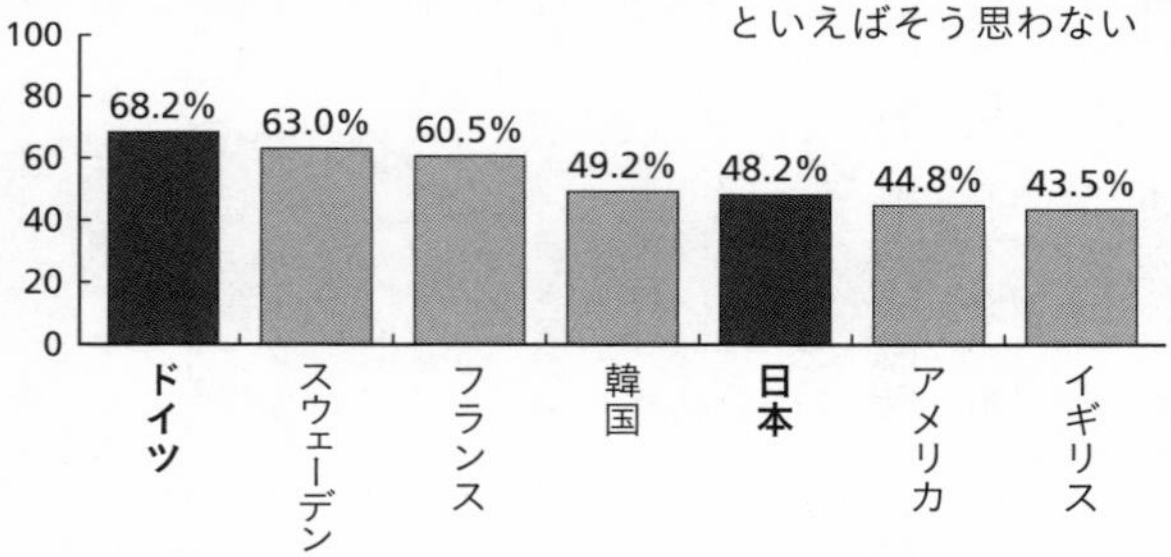

※内閣府「我が国と諸外国の若者の意識に関する調査（平成30年度）」より作成

否定しなかったのに対し、ドイツ人は最も多い7割弱が否定しています。

　これらのデータから読み取れるのは、日本人の自己肯定感の低さ、そしてドイツ人の自己肯定感の高さです。

　また、2017年に統計ポータル「スタティスタ」が行なったアンケート調査によると、「自分の生活に満足していますか？」という問いに対して、ドイツ人の「非常に満足している」「かなり満足している」と答えた比率は93パーセントに達しました。

　一方、内閣府が2017年8月に発表した「国民生活に関する世論調査」によると、現在の生活に「満足している」「まあ満足している」と答えた日本人の比率は73・9パーセントに留《とど》まっています。

　なぜ同じ経済大国でありながら、このような差が生まれてしまうのか？

　その大きな要因は、「自己肯定感」を高める生き方をしているかどうかの差にあるのだと、私は自らの経験を通して気づきました。

子どもから大人への〝負の連鎖〟を断つ

日本では、小さいころから「礼儀正しくしなさい」「人に迷惑をかけないようにしなさい」「相手に思いやりを持ちましょう」と教え込まれます。

ほかにも、「我慢・忍耐」を美徳としたり、個性を出すよりみんなと調和をすることが重視されたりしています。さらには、「阿吽の呼吸」や「空気を読むこと」が求められると同時に、競争社会において常に人と比べられる状況にもさらされています。

このように、上から抑え込む日本の躾《しつけ》は、子どもを不安にし、自信を持ちにくくさせるので自己肯定感が低くなります。そして、それはそのまま、大人の自己肯定感の低さにつながっているのです。

仕事や子育てや人生に疲れているあなたも、かつての私と同じように、そのような刷り込みに気づかずに、生きづらさを感じているのではないでしょうか？

この本では、そんなあなたに、私が20年以上ドイツに在住し、身をもってドイツで学んだ「生き方のコツ」を、ドイツ人の考え方や習慣を例にしながらお伝えしたいと思います。

ポイントは、次のような点です。

・自分のために生きる
・そのままの自分を受け入れて、自分を大切にする
・自分に自信を持つ、自分の意見をしっかりと持つ
・自分が居心地がよく、楽しく過ごせるように心がける
・仕事、お金よりも自分や家族の時間を優先する
・他人と自分を比べない

あなたが、ドイツ人の「生き方のコツ」を自分のものにできれば、自然と自己肯定感は高くなります。そうすれば、今の疲れや苦しみから逃れられて、きっと他人に振り回されずに「あなたの人生を輝かせることができる」と確信しています。

そして、本書を読み終えたときには、あなたもドイツ人のように自分の居心地のよい服装と髪形で、颯爽と街を歩いていることでしょう！

ドイツ人はなぜ「自己肯定感」が高いのか

目次

くかを知っている／残業をしないための考え方／仕事に人生の時間を奪われない／ドイツの職場でのコミュニケーション／会社にいるのは誰もが「専門家」／メルセデス・ベンツのスローガン「最善か無か」／長期休暇をとるために「休暇仲間」を作る／ドイツ人は日曜・祝日に買い物をしない／収入に合った楽しみは無限にある／リタイア後もドイツ人は旅に出る／誕生日は自分が周囲を盛大にもてなす

第3章 【教育法】メンタルを強くするドイツ人の子育て …………137

自己肯定感は生きる力になる／赤ちゃんとは別のベッドで寝る／「他人に迷惑をかけるな」と注意はしない／子育ては「みんなで」する／日本とドイツの幼稚園を比べてみると／誕生パーティは子ども自身が企画する／小学1年生から「留年」もある／「プレゼン」こそドイツ教育の要／家事よりも子どもとの時間を優先する

第1章【生き方】

ドイツ人は〝他人の目〟を気にしない

「素のままの自分」がカッコいい

ドイツに移住してすぐ、私は街行く女性たちの姿に「ある違和感」を覚えました。最初は偶然かと思いましたが、1か月も経つとそれがドイツ人にとっては普通のことなのだとわかりました。近所でも街中でも多くの女性がノーメイクで過ごしているのです。

日本では、メイクをするのは常識です。会社に行くのにも買い物に行くのにも、若い人でもお年を召されていても、メイクをして出かけている女性がほとんどだと思います。はるか昔の話ですが、高校を卒業すると化粧品店からメイクの無料レッスンの案内が届き、母と一緒に出かけたことがあります。初めて眉を整えてもらった際の「違和感」は、今でもよく覚えています。

女子大の入学式で学長が「これからは身だしなみとして、きちんとメイクをしてください」と話していたことが思い出されます。私も日本で働いていたときは、毎日欠かさずメイクをしていました。それが女性の身だしなみとして「常識」だと思っていたからです。

他者に媚びない潔さ

しかし、ドイツに移住後、ノーメイクで颯爽と歩くドイツ人女性に、私の常識はあっさりと打ち砕かれました。彼女たちが「素のままの自分でいる」様は、とてもカッコよく、自信に満ち溢《あふ》れているように私の目には映りました。

ドイツの友人に「なぜメイクをしないのか?」と聞いたことがあります。友人は「結婚式や特別なパーティに行くときはきれいにしようかなと思うからするけど、普段はする必要もないし……どうしてそんなことを聞くの?」と不思議そうな顔をしていました。

ドイツ人の多くは、仕事でもプライベートでも、多くの時間をノーメイクで過ごしています。なぜノーメイクで過ごしているのかというと、他者の評価や視線を気にしていないからです。他者に「きれいでしょ」と媚《こ》びない、潔《いさぎよ》さを感じさせます。

ドイツ人は、自分に自信がある、つまり自己肯定感が高いから、まわりが自分をどう見ているかなど問題ではありません。大切なのは自分の気持ちで、ノーメイクだろうと、自分の価値は何も変わらないことを知っています。

メイクをしたいときはする、したくないときはしない。常に、自分の気持ちにフォーカスした生き方をしているから、ノーメイクであろうが厚いメイクをしていようが、それは個人の自由なのです。

ドイツ語に「すっぴん」という言葉はない

実際のところ、ドイツ語に「すっぴん」に合致する言葉はないようです。「メイクは常識」という感覚がないため、それに相対する言葉は存在しないのかもしれません。逆に日本は、「すっぴん」でいるのは恥ずかしいという意識が高いように思います。

もちろん、すべてのドイツ人女性が普段メイクをしていないわけではありません。インコのような鮮やかな青いアイシャドウをしていたり、真っ赤な口紅をしていたり、アイラインを太くクッキリ入れていたりと、お気に入りのメイクをしている人もいます。ただ、そういったメイクをしている人も、他者への媚びや、社会の常識、会社のルールなどでメイクをしているわけではありません。自分の気分を上げるために、自分が必要だと思うから、自分のためにメイクをしているのです。

日本では最近、男性用化粧品が販売され、それなりの値段の化粧水やクリームなどを使っている男性が増えていると聞き、とても驚きました。

ドイツでは、男性が日常のお手入れのために基礎化粧品を利用しているなんて聞いたこともなかったからです。ドイツは空気が乾燥しているため、ハンドクリームやボディーローションを使っている人はいますが、それはあくまでも実用的なもので、美容のための男性用化粧品はお店にはほとんど置かれていません。テレビCMも見たことがありません。

もちろん、日本人男性が「自分の気持ち」にフォーカスして美容に気を遣っているならば、とても素晴らしいことだと思います。ですが、女性と同じように、周囲の評価や視線を意識するあまり、押しつけられた「身だしなみ」として、男性も美容に気を遣うことが「常識」となってしまっては、本末転倒だと思います。男性も女性と同じように、自分の気持ちを最優先することが、生きやすさにつながるはずです。

ドイツ人は、常に自分の気持ちに素直に生きています。ありのままの自分に満足し、確固たる自分軸を持って生きています。そのことの一つの象徴が、「ノーメイク」であると言えるでしょう。

自分流のファッションを楽しむ

日本へ帰国するといつも、日本人の美意識の高さに感心します。女性だけではなく男性も、洋服や髪型のセンスがいいばかりか持ち物に至るまでオシャレですね。

街にはヴァリエーション豊富できれいな洋服や靴や装飾品が並び、まるで宝石をちりばめたかのようにキラキラしています。

ラッシュアワーの電車に乗ると通勤途中の会社員でいっぱいですが、みなさんきちんとスーツにネクタイ、カバンを持ち、女性もキャリアウーマンらしいバリッとした装いで、とても素敵です。

かつての私も、メイクに服装に頑張っていたことを思い出します。

仕事に行くとき、きちんと服装や見た目を整えることは日本では当然で、無精ひげを生やしていたり、普段着のまま会社に行ったりすることなどは考えられないですね。

実際にそうしたらどうなるのでしょうか。上司から呼び出されて注意を受けたり、同僚から白い目で見られたりしてしまうかもしれません。

日本では、会社で仕事をする際には暗黙の了解があります。入社時に服装の決まりがなかったとしても、きちんとした服装で行くのが常識です。

いつから決められていることなのでしょう。これに疑問を持つ人も少ないようです。

母も驚いた「流行を追わない」人々

ドイツに移住後、ドイツ人のファッションについても驚かされました。

私の母が日本から訪ねてきたとき、こんなエピソードがありました。

街へショッピングに出かけて帰宅すると、母は「日本からどの洋服を持ってこようか、すごく悩んだけれど、全然気にする必要がなかったわ」と言いました。

どうしてそんな話をするのかと尋ねてみると、「流行を追っている様子もなく、むかし流行《はや》っていたような時代遅れの洋服を着ている人もいたりして、何を着ていても気にする必要が全然なかったから」と答え、微笑みました。

そう言われてみると、普段ドイツでは服装のことをあまり意識しないのに、日本へ一時帰国をするたびに、きれいな洋服やきちんとした衣装を持って行かなければと、逆に気を遣っていたことを思い出しました。

私の夫は会社員ですが、毎日の通勤にはジーンズにシャツを着て、ウィンドブレーカーかジャンパーを羽織るのが定番のスタイルです（日本で知り合ったときは、日本の顧客を訪問するので、しっかりスーツにネクタイをしていました）。

通常、ドイツでは通勤にスーツを着てネクタイをしている人は見かけません。女性もスーツやビジネス仕様のファッションで通勤している人をめったに見かけません。

極端に言えば、真夏の暑い日には、胸もとが大きく開いているシャツを着て、スカートの下は素足でも問題なし。

会社に行くのだからこうしなければいけない、という縛りがまったくないのです。

重視するのは「着心地」と「機能性」

私は、日本からバレエ留学にやってくる学生たちのサポートやコーディネイトを仕事にしています。その関係でよく州政府の外国人局へ行きますが、公務員の人たちも、男性であれ女性であれ普段着で仕事をしています。

普段着というのは、いわゆるオシャレ着でもビジネススタイルでもない、家にいるときそのままの服装だということです。公務員だから決められた服装をしなければならない、ということも一切ありません。口や耳にピアスをしている人もいれば、手にタトゥーを入れている人もいます。

もちろん、ドイツ人の中にもオシャレが好きな人はたくさんいます。高級ブランドで全身をキメている人、リーゼントと革ジャンが似合う人、私が小さかったころに流行ったような長いフレアースカートを穿いている人など、個性的なファッションの人を見かけることもあります。

しかし、ドイツ人のファッションは全般的に、「着飾る」のではなく、「着心地が良い」あるいは「機能的に優れている」という点を重視しているように思えます。見た目はシンプルでも中身で勝負するのがドイツ流なのです。

そこには、自分が他人にどう映っているのか、他人が自分をどう思うかなんて気にしない、ドイツ人の生き方が表れています。

（左）ショーウィンドウに並ぶ通勤着（右）街行くノーメイクの女性。

周りからの評価や自分をよく見てほしいということにとらわれて、必死になるのではなく、もっと自分の好きなように、自分が気持ち良くなれるように毎日装うことは、それほど難しいことではありません。

服を選ぶ際に、「他人にどう映るか」で判断するのではなく、「自分が着たい服か？」「着心地は良いか？」にフォーカスすればいいだけです。

重視するのは「着心地」と「機能性」――。それだけで、一つの生きづらさから解放され、快適な毎日を過ごせるようになれると思います。

「良い妻」「良い夫」にならない

ドイツ人の夫と結婚をして25年になります。そのうちの15年以上も、私自身が全然気づいていなかったことがあります。私たちは日本で結婚し、その後ドイツ（ドイツ南部のミュンヘン近郊）に移住しました。夫はドイツ（ベルリンよりも北部の田舎）生まれで、ドイツ育ちのドイツ人です。私は日本（埼玉）生まれ、日本育ちの日本人です。

生まれ育った国も文化も違う夫婦なので、当然、考え方も習慣も異なります。普通に考えれば、ドイツへ移住したのだから、私がドイツ的な考え方で生活していくことが自然な成り行きだったのかもしれません。

しかし、私はそうしませんでした。私は、結婚し移住しても、昔の日本的な「妻のあるべき姿」に疑問を感じることもなく、むしろ「日本の奥ゆかしく気遣いのできる妻」（いわゆる「良妻賢母」）に憧れ、自分もそうありたいと願っていました。

日本には、かつて「こうあるべき」という夫や妻の典型的なイメージがあったと思います。最近では女性も社会進出をして共働きも多くなりましたが、今でもまだ「男は外で稼ぎ、女は家を守る」というイメージは根強くあるようです。

奥さんはあまり夫に強く主張せず、何か言われる前に気づき、家事や子育てをこなし、夫婦共働きでも「女は家庭が第一」とする考え方です。

ドイツで暮らし始めた私も、毎朝必ず家族全員の朝食を用意し、家族を送り出した後は掃除・洗濯をこなしていました。子どもが学校から帰宅した後の習い事の送り迎えも、すべて自分でやってきました。良い妻、良い母だと思ってほしかったので、夫に気を遣い、夫の顔色を気にしながら過ごしていました。

自分自身がバレエ留学をサポートする会社を起業するまでは、女は主婦として家庭を守るのが当然だと思っていたのです。それは、「国は違えど世界共通」との認識でした。

しかし、ドイツではまったくそんなことはなかったのです。

「ベビーシッターを雇ったわけじゃない」

夫は私のやることに何ひとつ文句を言いませんでした。むしろ、私がドイツ人女性のようにガミガミと小言を言わず、家庭のことは率先してやってくれるので、楽ができていたようです。

ドイツ人女性を見ていると、みな夫よりも強い〝猛妻《もうさい》〟のイメージがあります。家庭の仕事は必ず夫と分担します。奥さんが黙って楚々《そそ》と家事をやる古風な日本人妻のイメージとは真逆です。自分がしてもらいたいことをしっかりと話し合い、役割分担を決めて夫婦で家事や育児を行なっているのです。

私は15年以上も、そういったドイツ的な習慣に気づきませんでした。母としての役割を優先し、自分が理想とする妻を目指して頑張っていました。

私は、夫にも理想の父親になってほしいと願っていましたが、実際には私の思い描く理想の夫像とはかけ離れていました。そのため、不満を持ちながらも「やはりドイツ人だから仕方がないか」と、相手に期待するのをあきらめていた部分もあります。

それで、夫にわかってもらえないと思い悩みながらそれを伝えることもなく、不満を持って長い間過ごしてしまっていたのです。

私は15年以上、一生懸命に「良い妻」「良い母」になるように過ごし、理想の夫を求めながら、現実とのギャップに不満とあきらめを抱きながら過ごしてきました。

そんな家庭の雰囲気が変わったのは、二人の子どもが大きくなり手がかからなくなったころでした。それまで静かにしていた夫が、あろうことか、「良い妻」「良い母」になろうと努めてきた私のそれまでのやり方を否定してきたのです。「二人でいられる時間を大切にしたい」「子どもがいても、ロマンチックな関係でいたい」と。

日本の夫婦の多くは、子どもが生まれると、恋人同士から「お父さんとお母さん」の役割に変わってしまいがちです。しかしドイツでは、子どもが生まれても恋人同士のように二人の時間を楽しみます。たとえ乳幼児がいても、ベビーシッターをお願いしてまで二人の時間を作るのです。

それを受け入れたくなかった私は、「良い母」役を優先し、一生懸命やってきたのでした。夫も、日本人妻の私に一歩譲り、強いドイツ人的な押しつけを控えていたようです。しかし、子どもが大きくなり、押し隠していた不満が一気に膨れ上がったのです。

このとき夫から告げられたひと言は、一生忘れられません。

「夫婦なのに仲良くする時間もない。僕は料理人や清掃婦やベビーシッターを雇ったわけじゃないんだ」と。

夫婦の基準は「自分たちはどうしたいか」

私が15年以上も「良い妻」「良い母」を目指してやってきたことは、私が一方的に思い描いているだけの「理想の妻」「理想の母」像にすぎませんでした。夫のため、子どものために良いであろうと勝手に思い込んでいたんだ、と気づかされたのです。

夫に「良い妻」だと認めてもらいたい、子どもに「良い母」だと認めてもらいたいと思い詰め、自分はこうしたいという「自分のための人生」という視点では考えてもいませんでした。

そして、もう一つ気づかされました。私が不満に思っていた夫の姿は、実は自分軸を持っているドイツ人にとっては責められることではなく、至極当然のことだったのです。

15年以上もの私たち夫婦のすれ違いは、普通のドイツ人家庭のように、お互いに思っていることや意見を交換する場を持ち、双方の考えや気持ちを言葉に出して伝えることで、解決していたはずだったのです。

ドイツでは、常識として刷り込まれた「夫像・妻像」を目指すのではなく、「自分たちはどうしたいのか」を基準に、自分たちの好きなやり方で、夫婦関係や親子関係を築いていきます。そのためには、お互いにどうしたいのかを話し合わなければなりません。

もし、もっと夫に「家事や育児に協力して」とストレートに伝えていたら、あるいは、夫の目を気にしながら毎日を過ごすような妻にはならないと決めていたら、私はもっと自由で、「自分のまま」の妻や母親として、苦しまずに過ごせたと思います。そして、夫とのすれ違いも起きなかったでしょう。

「母親はこうあらねばならない」「家事は母親がしっかりやるべき」といった「〜ねば」「〜べき」思考は、生真面目な人ほど陥りやすいと思います。こうした「ねば・べき思考」は知らず知らずのうちにプレッシャーとなり、頑張っていればいるほど、理想と現実との間にギャップが生まれたとき、ひどい無力感に襲われる原因となります。

それは自己否定につながり、自己肯定感を著しく下げる原因にもなります。

家庭をうまく保ち、家族みんなが窮屈さを感じない生活をするためにも、それぞれが「自分の人生を生きる」ことを大切にしたいものです。

がんになったのも「自業自得」？

もちろん私は、すぐにドイツ人のようになれたわけではありません。

ドイツに移住して子宝にも恵まれ、仕事や子育てに忙しい毎日を送っていましたが、本当に「自分の人生」を生きていたとは到底言えませんでした。

ちょうど夫との不和に悩んでいたころ、突然、体から出血が……。慌てて病院に駆け込むと、診断結果は「ステージ3のがん」。がんの大きさは3センチもありました。

突然のがんの告知に、追い討ちをかけるように医師がこう言いました。

〝selber Schuld（ゼルバーシュルトゥ／自業自得）〟

死の宣告を受けたも同然の患者に対して、ドイツの医者はこんなひどい言葉をかけるのか――このときは、そう思ってショックを受けました。

もうろうとして自宅に帰り、バスルームでタオルを噛んで声を抑えながら大泣きをしました。しかし、子どもたちのためにも「絶対に死ねない」と思い、手術はもちろん、あらゆる治療を望んで、生き延びることに決めました。

異国のドイツでの初めての手術と入院は本当につらいものでした。自分のほうこそ誰かになだめてもらいたかったけれど、子どもたちから病院のベッドにいる私あてに電話がかかってくるたびに、逆に子どもを慰めなければならない状況でした。私は、子どもたちにも日本の年老いた母にも心配をかけたくなくて、本当の病名を伝えていなかったのです。「がん」や「大病」という言葉は、口が裂けても言えませんでした。

そうしている間も、夫との不和は続いていました。それでも、手術や治療を続けた結果、私は奇跡的に生き延びることができたのです。

しかし、がんを克服したにもかかわらず、私はその後2年以上にわたって、治療の副作用の痛みと闘っていくことになります。そして、「自分は生きてはいけない、生き残ったことは間違いだった」と、生きることを、何度もやめたくなりました。

「私が生きていることに何の意義があるのだろう。こうして生き延びても、ドイツで家族に恵まれていても、私は今のままで本当に幸せなのだろうか。いっそのこと、がんで死んでいたほうがよかった……」

葛藤の中、私は自分の生きる意味や存在について、深く深く考え続けました。その過程で、しだいに光が見えてきたのです。

「生まれてからずっと、私は他人の目が気になり、自分の思いや主張を閉じ込めて、まわりのことばかり優先してきた。他人からどう思われるのか恐怖で、自分は間違っているのではないかといつも不安だった。結局のところ、私は私のものでない『他人の人生』を送っていたんだ……」

このとき私は、日本からドイツに移住して病気になるまでの長い時間も、日本で苦しんでいた20代のころと同じように、「他人の人生」を生きていたことに気づいたのです。

「つらい人生」も選んだのは「自分」

あのときに医師が言った〝selber Schuld〟の意味がやっとわかりました。

私は当時、自分に必要な注意を知らせてくれなかった医師に責任があると思っていました。しかし今は、「自己管理を怠り定期検診に行かなかった自分自身に責任があった」と自覚しています。医師の言葉に含まれた意図をやっと理解できたのです。

今ここに生きて自分が存在するのは、自らが選んできた結果の集積です。

誰かに無理強いされて、ここに存在しているわけではありません。

「自分の人生」の、この瞬間を楽しくするのも、苦しくするのも、すべてが自分の選択の結果です。なんで自分だけがこんなにつらくて不幸なのかと思うことがあるかもしれませんが、それは、まぎれもなく「自分が選んだ人生」なのです。

「自分の人生」の失敗は、他人が責任を取ってはくれません。まわりを気にしながら選択したり、人の意見を聞いて選択したりした結果、失敗したとしても、それを選んだのは自分です。だからこそ、「自分のための」「自分が選択した」「自分で責任が取れる」「自分の人生」を生きなければいけない——私は、そう気づきました。

私は、再びもらったこの人生で、今度は本当の「自分の人生」を生き抜いていこうと決めました。

そして、この本当の「自分の人生」こそが、まさにドイツ人たちが普通に生活している「自己肯定感の高い生き方」だったと気づいたのです。

気遣いの「おもてなし」はしない

ドイツでの生活が長くなるにつれ、固く決意したことがあります。

それは、もう二度と「おもてなし」をしないということです。

「おもてなし」を美徳とする日本人にとっては信じがたいことですが、今は本当にそのように思っています。

そう思うきっかけとなったエピソードを紹介しましょう。

わが家には、ベルリンの郊外に住む義父母が定期的に訪ねてきて、最低1週間は滞在していきます。以前は事前に隅から隅まで家を磨き、ホテルのように寝具を用意し、二人の好む飲み物や特別な食事を準備するなど、万全の態勢で臨んだものでした。

特に食事のメニューはいつも練りに練って、大切な義父母に「おもてなし」をしていたつもりでした。

でも、お寿司を手作りしたときは、

「生のお魚は食べたくない」

日本流のカレーライスを出したときは、

「カレーは辛すぎる」

と、義母は直球の意見を放ってくるのです。

そして、彼女は特に悪びれた様子もなく私の手料理を残し、自分でオープンサンドイッチを作って、隣でパクパクと食べていました。

もちろん私は、心が砕けそうになりました。いろいろと考えて、義父母に喜んでもらいたいと思いを込めて用意したのに、このような態度。

「ひどいお義母《かあ》さん……」私は心の中でそう思いました。

その後も何度も同じようなことがあり、耐えられなくなった私は、夫に「私が一生懸命用意しても全然わかってもらえない。ほかのものを食べられると悲しい」と話すと、「なぜ自分が食べられないこと、嫌いなことを主張してはいけないの？　なぜ食べたいものを食べてはいけないの？」と、共感とはほど遠い答えが返ってくるのです。

さらに、「君がそのときすぐに、『これを食べてもらえたらうれしい』と直接母に言っていれば、(君が)後まで引きずることなどないのに」とも言われました。

結局、それ以降は、特別なメニューを用意するのはやめにして、ドイツ式の料理を作るか、外食に行くことにしました。気遣って「おもてなし」をしても、相手は気がつかないどころか、マイナスの評価が返ってきて、落胆するだけでしたから……。

ビールは注がない!

ドイツ人の同僚と夜の食事に行ったときには、こんなことがありました。

ビールを飲んでいる同僚のコップが空になりそうだったので、ビールを注ごうとしたところ、「まだ飲み干していないのに、注がないで!」と怒られてしまったのです。ビールが残っているところに注ぐと、せっかくの冷たいビールが生ぬるくなって美味しくなくなる、ビールは自分のタイミングで自分で注ぎたい、というのでした。

以来、ドイツ人の同僚との付き合いではお酌を一切しない、気遣いのいらない付き合いになり、逆に楽になりました。

日本では、口に出さない、さりげない気遣いがスマートでカッコいいものです。女性は気が利くと、「女子力が高い」だなんて言われて、株も上がります。

逆に気遣いができないと評価が下がってしまうので、食事や飲み会の場面などは、座る場所から気を遣わなければいけません。焼き肉とか鍋を一緒につつく場面では、できるだけ平等に取り分けたり、過不足のないように注文したりする必要があります。

そんな日本の習慣をドイツ人に話すと、「なぜ楽しくお酒を飲んだり、食事をするのに気を遣って取り分けたり、注文をしたりするの？」「ましてや座る席なんて、どこに座ろうとかまわないじゃないか。そんなことを気にしていたら全然楽しめないよ」と言われてしまいました。

「気遣い」を表すドイツ語はない

ドイツではそれぞれが自分で好きなものを注文し、それを自分で食べるので、取り分けて食べ合う習慣がありません。飲み物もワインなど以外は、自分で手酌かジョッキで飲むので、他の人に注いでもらうこともありません。

考えてみれば、「気遣い」「気を遣う」といった日本語に、ぴったり当てはまるドイツ語も見つからないのです。

たしかに、「おもてなし」が美徳とされる日本で、すべての「おもてなし」を放棄するのは、仕事関係の付き合いなどでは難しい部分もあるでしょう。

ですが、過剰な「おもてなし」は、もてなす人を疲弊させる一方で、もてなされた側はそれが当然だと思っていることが多々あります。日本のサービス業で一生懸命「おもてなし」をなさっている方は、そのことをよくご存じでしょう。「おもてなし」が当たり前になって、逆に気遣いを要求するようになるのは、美徳でもなんでもないと思います。

仕事上の付き合いで突然「おもてなし」をやめることは難しいかと思いますが、家庭や親しい友人関係の間では、過剰な「おもてなし」は思いきってやめてみることをオススメします。それだけで、心はスッと軽くなるはずです。

「この人をおもてなししたい」という心が芽生えたときに、素直な心でおもてなしをするのが一番だと思います。形だけの「おもてなし」では、気持ちは伝わりませんから。

〝阿吽の呼吸〟に期待しない

日本人の「和」の精神はとても尊敬すべきものです。まわりと協調して、良い雰囲気でいることはチームワークを育み、集団生活をするうえでは欠かせないものだと思います。おそらくそのような考え方が自然にあるために、日本では、場の「空気を読む」ことが大事だとされているのでしょう。

空気を読むときには、周囲の人の気持ちを察する〝阿吽の呼吸〟が必要です。みなさんにも、いろいろなシチュエーションが思い当たるのではないでしょうか。

久しぶりの日本で感じた不安

プロローグでも述べたように、私はコロナ・パンデミックになる前の２０１９年12月に、日本へ一時帰国しました。このときには、しばしば〝阿吽の呼吸〟とか〝以心伝心〟ということを意識することが必要で、とても不安を覚えました。

私を囲んで夕食会をする機会が幾度もあったのですが、ドイツ生活が長い私には、日本のいわゆる「空気を読む」ことが感覚的にわからなくなっていたのです。

〝阿吽の呼吸〟や〝以心伝心〟は、日本独特のものです。さらに最近の日本では「空気を読めない人」になると嫌われる、馬鹿にされるという話は、ドイツにいるときからなんとなく伝え聞いていました。

そのため、一時帰国した私はそういうレッテルを貼られないように、いつもビクビクしていました。タイミングよく相槌《あいづち》を打てるように、会話にスムーズに乗っていけるように、その場の空気を読んで〝阿吽の呼吸〟を実践するのに必死でした。

ドイツでは、会話のときに積極的に自分の話をしないと、相手はこちらの意思を汲み取って理解しようとはしてくれません。それが当たり前なので、最初からお互いに自分の意思を直球で話すのが自然です。

そんな環境で長い間生活していたので、日本へ帰ったときに自分の言動が、いわゆる「空気の読めない人」と映ることに異常に反応してしまったようです。昔、私が日本にいたころより、もっと強く〝阿吽の呼吸〟を要求されているようにも感じたのでした。

言葉にしなければ伝わらない

ドイツには、日本のような〝阿吽の呼吸〟も〝以心伝心〟もありません。ドイツに移り住んでまもないころ、それを実感させられる体験をしました。

ある日、子どもの通う幼稚園で、フリーマーケットで売るための小さな人形作りのボランティアに参加したことがあります。

お母さん方と初めて顔合わせして、まずは挨拶をしたものの、何をしていいかまったくわかりません。だから私は、ひたすらほかの人をまねて作業を始めました。そうしていれば〝阿吽の呼吸〟でもって、誰かが私に具体的に教えてくれるかなと期待していたのです。

要領がわからずうまくいっていないのに、ただ材料を手に、長い時間ひとりで格闘をしていました。すでに人形ができあがった人もいます。私は試行錯誤しながら、ただ見よう見まねで手を動かし続けていました。誰かが気を利かせてくれることを願って……。

でも、誰も私に声をかけてくれません。いよいよまずいなと感じた私は、隣に座っている人に、やっとの思いで尋ねました。

「やり方を教えてくれませんか？」

彼女は目を丸くして、私をこう叱責しました。

「知らなかったのなら、なぜ、はじめに聞かなかったの！」

私は恥ずかしくて顔が赤くなり、穴があったら入りたい心境になりました。

そうです。なぜ、最初に聞かなかったのでしょう。戸惑う様子を周囲に見せていたら、誰かが声をかけてくれ、教えてもらえるんじゃないか、という甘い感情があったのです。実際、おそらく日本だったら誰かが気づき、手を差し伸べてくれていたことでしょう。

しかし、ここは日本ではなくドイツでした。言葉に出して言わなければ、誰にも伝わらないのです。私がはじめから作り方を聞いておけば、悶々《もんもん》とした時間を過ごす必要も、人の目を気にする必要もなかったのに……。

「忖度なし」で心が楽になる

このほかにもたくさん似たような経験をして、やっとわかりました。ドイツでは、誰かの気遣いに期待し、また自分も〝阿吽の呼吸〟や〝以心伝心〟を意識して過ごすことは意味がないということです。

いや、実はドイツだけでなく、日本であっても同じではないでしょうか。

自分では場の空気を読んでいるつもりでも、実際には誰も自分の動向など気にしていない、ということはよくあります。むしろ、空気を読んで自分を押し殺してしまうと、「意見のない人」「自分のない人」として侮られてしまう可能性もあります。

逆に、「自分から言葉に出して伝える」「相手の言葉をしっかり聞く」ことができれば、それ以上の余計な忖度《そんたく》や気遣いは不要なのです。

それに気づくことで、心はずっと楽になり、人生のかなりの部分の時間と労力を、無駄に浪費することはなくなります。

空気を読んで自分を押し殺してしまいがちな人は、「空気を読まない」くらいの意識を持って、自分の思いを伝えたほうが、結果として周囲との関係性も良好になり、生きづらさも和らいでくるはずです。

「お客様は神様」ではない

仕事でよく銀行の担当者と話をすることがあります。8年もの間担当してくれていた彼女はとても優秀で、毎年昇進し、次に会うときには必ず役職が上になっていました。

多忙にもかかわらず、いつも丁寧に応対をしてくれる彼女に、ある日私は、彼女をねぎらうつもりでこう言いました。

「いつも忙しくて大変ですね」

その後、彼女は私の担当から外れてしまいました。

なぜかというと、私の気遣いの言葉が、彼女には嫌味に聞こえてしまったからです。

日本人には理解しがたいかもしれませんが、ドイツ人は「忙しくしている＝仕事ができない、遅い」と、ストレートに言葉の意味を受け取ります。そのため、私の気遣いの発言は、彼女にとっては嫌味にしか聞こえなかったのです。

もし彼女に感謝の意を伝えたいならば、「いつも私のために時間を作ってくれてありがとう」と言わなければならなかったのです。

言葉のニュアンスを汲み取ってほしい、という思いはドイツでは通用しません。

これは、親しい間柄でも、立場の異なるビジネス上の関係でも同じです。

「客」も「自分」も同じ人間

また、日本では「お客様は神様」という考え方がありますが、ドイツにはそういった意識は一切ありません。そのため、次のような経験もしました。

移住後、初めて一人でスーパーに買い物に出かけたときのことです。私はスーパーの中の精肉コーナーに店員さんがいるのを見て、ドキドキしながら、

「Hallo!（ハロー）」

と、挨拶しました。ところが、返答がありません。

客は私一人だけ。店員さんはひたすら肉やハムの陳列を続けて、私のほうを見てもくれません。聞こえなかったのかもしれないと思い、再度「Hallo!」と少し声高に言ってみました。すると、

「Ich habe nur zwei Hände（イヒ ハーベ ヌア ツバイ ヘンデ／私には手が2つしかない、時間がないのよの意）」

と言われて、ビックリしました。愛想も何もありません。最初のころは、なんてひどいサービスなんだろうと思いました。

でも今は、こういった応対は、一人の人間として当然なのだと思っています。

ドイツでは日本のように「何よりもお客様を優先してサービスする」ことはありません。自分に割り当てられた仕事を遂行することに勤勉なので、その仕事を阻害する物事は、たとえお客からの依頼だとしても、自分の役割ではないと考えるからです。

なぜそのように考えて行動できるのかというと、仕事上でも「自分の人生」を生きているからではないでしょうか。

客も自分も同じ人間。商品の対価として金銭のやりとりが生まれているのであって、店員が低姿勢になる理由はどこにもなく、自分を殺してまで客に奉仕するような発想は持ち合わせていないのです。

もちろん、ドイツ人の店員の接客サービスにも個人差があります。しかし、「お客様は

ドイツの一般的なスーパーマーケットの様子。整然と商品が並ぶ。

神様」という姿勢で働いている人はまずいません。

ドイツの例は極端に思えるかもしれませんが、日本は、働く人に過剰なサービスを求めすぎているように思えます。他者を慮《おもんぱか》ってサービスすることは、それだけ「自分の意思」「自分の本音」を殺して働くことを意味します。

それが生きづらさにつながり、またブラック企業や過重労働の一因にもなっているように思えてなりません。

サービス大国日本。働く人の幸せを考えると、その負の側面について、真剣に考えてみるべき時期ではないでしょうか。

心と体は「自分」で守る

私の仕事の一つは、バレエの留学生のサポートです。毎年、日本からプロのバレエダンサーを目指して留学生がやってきます。

学生はだいたい1か月もすると、バレエ学校のレッスンに慣れ始めます。ですが、このころが一番、心身の調子を崩しやすい時期です。異国での生活に慣れて緊張がほぐれてくると、体に疲れがどっと出たり、気持ちがゆるみやすくなったりします。

すると、レッスン中に転んだり、気分が悪くなったりすることが起きやすいのです。

ドイツでは、レッスン中に気分が悪くなったり、体が思うように動かなかったり、痛みがあったりすると、すぐに自分から先生に伝えて、見学か休むかの判断をするのが当然です。先生も、それが当たり前だと理解しています。

しかし日本の学生は、我慢や忍耐でやり通すことを美学として教えられて、幼いときからレッスンをしてきています。

たとえば、少し足が痛くても、公演が近ければ通しで練習したり、疲れ気味でも頑張ってやり抜いたりすることで、先生からも褒められることが多いのです。

その習慣のまま、ドイツに来た学生が、体に無理強いすると、ケガにつながります。そして、治療方法の違いや、友人や家族がそばにいない環境での不安から、メンタルまで弱くなってしまう学生も少なくありません。

先生が生徒を気遣うことはない

ドイツの先生は、どんな状況でも頑張ることを良しとする日本的な習慣を知りません。

そのため、日本人の生徒がケガをしてしまった、あるいは病気になってしまった理由が、自分への無理強いからだと知ると、ひどく驚きます。

なぜ痛みがあるのに休まないのか？　なぜ疲労を感じているのに見学にしないのか？　まったく理解できません。

また、学生のほうが、自分に疲労や痛みがあるのを先生は気づいてくれるだろう、休んだり見学したりするように声をかけてくれるかもしれない、というひそかな思惑を持っていたりすると、両者の感覚の差はさらに開いてしまいます。

先生のほうは、「なぜ私が学生の一人ひとりを観察しなければならないの？」と思っているからです。

私はこの両者の感覚のズレを修正するために、日本から渡独したての学生には、自分の体のコンディションに不調があれば、すぐに自分の判断で先生に伝え、ケガをする前に何らかのアクションを自分から行なうこと、先生の顔色や、どう思われるのかを気にする必要はまったくないということを説明しています。

つまり、相手が先生であったとしても、他者に依存するのではなく、自分の気持ちに正直に、何事も自分で判断しようということです。

「笑顔」だけでは何も伝わらない

学生には、ショッピングで人と話をする場合の注意もはじめに伝えます。異国なので、どうしても言葉の問題が生じます。たいていの場合、日本から来たばかりの学生は、相手の言っていることがわからなくても、相手に悪い印象を与えまいとひたすら笑顔でいます。

「はい」も「いいえ」も言わず、わからないということも伝えずに……。すると相手の人は、もちろん困ってしまいます。

笑顔はたしかに好感を与えますが、それよりもまず自分の意思を伝えないといけないのです。これは観光客として海外へ行く際も同じで、相手に好感を持ってもらうこと自体は素敵なことですが、意思疎通を図るには、ジェスチャーでもパントマイムでもいいので、自分の言いたいことを伝えるべきです。笑顔でいても、相手には何も伝わらないのです。

相手がどう思うかを気にせずに、自分の意思をはっきり持ち、誤解が起きないように自分の気持ちを大切に伝えていくこと――。それは、グローバル時代を生き抜くためには必須のことですし、自分軸で生きるためにも欠かせない能力だといえます。

他者に依存して、他者の目を気にしていても、自分が思っているほどには、他者は自分のことを気にかけていません。自分の心と体を守れるのは自分だけなのだということを、忘れないでいたいものです。

混浴でも恥ずかしくない理由

ドイツ人は昔からサウナ好きが多く、寒い冬が長いこともあって、サウナで汗をかくことを習慣にしている人がいます。サウナはプールやフィットネスクラブにありますが、家の中にサウナを設置している人も珍しくありません。

夫もサウナが大好きで、ときどき会社の同僚と、わざわざ車で一時間もかかる大きなサウナへ行くこともあるほどです。

サウナは「混浴」が基本

ドイツに来て、初めてサウナに入ったときは、とても驚きました。ドイツでは、サウナは男女混合で、しかも裸で入るのです（サウナによっては、女性専用の日を設けているところもあります）。

脱衣所も男女混合で、ここで服を脱ぎ、持参のバスローブを着て、手にはバスタオルを持ち、ビーチサンダルを履いてサウナに向かいます。

サウナに入るときは外へバスローブをかけ、バスタオルを持って中に入り、敷いたバスタオルの上に座る、あるいは寝てサウナを楽しみます。当然サウナを楽しんでいるときは、男も女も裸です。あえて胸を隠したり、手で覆ったりしている人はいません。

サウナの施設には、いたるところに汗を流すためのシャワールームがあります。たくさん並んだシャワーには、たいていドアがなく、隣を隔てる壁もカーテンもなく、裸の男女が代わる代わる隣同士でシャワーを浴びます。

水風呂があったり、水の入ったバケツがあったりしますが、もちろん裸で浴びるのが常識です。

「なぜ体を隠す必要があるの?」

最も驚くのは、老若男女一緒にサウナを楽しんでいることです。

なかには若い恋人同士のデートなのか、ティーンエイジャーと思われる若い可愛いカップルが、裸のお付き合いをしています。まわりには、おじさんもおばさんも、裸の人がたくさんいるのに。日本では考えられないでしょう。

ドイツでは、まわりの人がジロジロ見ることもないので、他人の視線を気にする必要がないのです。

一度、モデル風のブロンドの超美女がサウナに一人で入ってきて、グラビア風にサウナに寝そべっていました。少なくとも私の目は彼女に釘付けでした。しかし、まわりの人たちは彼女に注目することなく、サウナでいつもどおりに汗をかいていました。

なぜ、こんなにもおおらかに、男女が、それも年齢に関係なく裸でサウナを楽しめるのか。

夫から次のように聞かされました。

「なぜサウナに入るのに、自分の体をいちいち隠すの？　隠していると、何か変わったところがあるのか興味を持って、かえって注目されるよ。もともと人間の体のつくりは同じなのに、隠す必要なんてないだろう」

そう言われてみれば、ドイツのテレビでも、何度となく驚きの映像を見ています。

たとえば、あるドラマでは俳優が服を脱いで湖に飛び込むシーンがあり、思いきり全裸が映っていました。ボカシも何もありません。女性も同じように、裸のシーンがあれば、そのまま全部映っています。

「恥ずかしい」という感覚の違い

ドイツの「裸に対するおおらかさ」には、日常的にもよく出合います。

仕事上、バレエでケガをした学生を整形外科医に案内することがよくあります。私は、このときがいつも悩みの種なのです。

整形外科医はまず、下着になるようにと学生に言います。骨のゆがみや筋肉の状態など、体のバランスや姿勢をしっかり見る必要があるからです。

そこで通訳をする私が、学生に下着になるように伝えると、彼女らは躊躇《ちゅうちょ》することになります。数年前までは、それでも下着になり、診察を受けてくれたのですが、このごろは、学生たちの嫌がる様子が顕著になってきたように思えます。

最近学生から聞いたのは、日本の整体では、Tシャツやレギンス、もしくはジャージを着たまま施術を受けるのだそうです。万が一、下着になるように、ということがあれば、それはわいせつ行為になる、と。でも、その感覚はドイツ人には理解されません。

私自身も、妊娠中に次のような経験をしました。

日本の産婦人科検診では、カーテンのある場所で下着を着脱でき、下半身の診察でも目線はカーテンで仕切られています。だから恥ずかしさを感じることはありませんでした。

一方、ドイツに移住したときは妊娠8か月で、さっそく産婦人科に検診に行きました。

「はい、そこの隅で下着をとってきて！」

診察室の隅には、椅子があるだけでした。そこで恐る恐る下着を脱ぎ、先生の前の診察椅子に座り、足を開いて座らなければなりませんでした。恥ずかしそうにしていた私を見ながら、怪訝《けげん》そうな顔をした担当医の表情は今でも忘れられません。「何か問題ある？」という顔つきでした。それから何年もかかって、ドイツではどの医院でも同じなんだと知りました。

恥ずかしいという感覚が、日本のそれとまったく違うのです。

裸を見せても平気でいられる理由

国の文化や習慣にはもちろん違いがあるので、裸になるのは恥ずかしいことではないというドイツと、裸を見せるのは恥ずかしいという日本の感覚に違いがあるのは驚くことではありません。

では、なぜドイツ人は裸に恥じらいがなく、平気でいられるのか？

それはおそらく〝FKK《エフカーカー》（Freikörperkultur フライカーパークルチュアー）〟という裸体主義文化と関係があります。

英語では「ヌーディズム」と呼ばれていますが、ドイツはその先進国で、裸で日光浴や海水浴、森林浴、スポーツなどを楽しむ文化があります。日光や水、きれいな空気に全身で触れて、衣服の拘束から解放されようというものです。

このような文化的背景があるため、人前で裸になるハードルが低いのでしょう。

私の夫は小さかったときに、夏季休暇でFKKのビーチに行ったそうで、思い出の写真を見せてもらうことができました。みんな真っ裸のスッポンポンで、日焼けを楽しんでいたり、卓球をしていたりと、服を着ているのと何ら変わらない様子がうかがえます。

こうしたFKKという文化にも、ドイツ人の「他人の目を気にしない」「ありのままの自分を大切にする」生き方が表れているように思えます。

私たち日本人にとっては「人間の体のつくりは同じなのに、何を隠す必要があるのか」と言われても、やはり裸でビーチに出るのはなかなか勇気がいることです。

それでも、他人の目を気にしてしまう自分に悩んでいるという人は、もしドイツに旅行する機会があれば、思いきってFKKのビーチやサウナに行ってみてはどうでしょう。まったく新しい自分に出会えるかもしれません。

FKKの海水浴場にて、幼き日の夫。

物欲に振り回されない

ミュンヘン近郊に引っ越してきてすぐ、電器店にコードレスのアイロンを探しに行ったことがあります。初めて見たドイツの電器店の印象は質素で、日本のほうがはるかに商品が豊富で、ハイテク家電が多いと感じました。

店内を探し回っても、コードのついたアイロンばかり。クリーニング店にあるような蒸気が噴き出す大きくて重いアイロンは並んでいるのに、お目当てのコードレスのアイロンは見当たりません。そこで、店員に聞いてみると、次のような答えが返ってきたのです。

「何年か前にコードレスアイロンはたくさん生産され、店舗にも置いていたけれど、需要が少ないため、もう置かなくなりました」

便利な最新のコードレスアイロンが、ドイツでは人気がなく、店頭に並ばなくなった事実が信じられませんでした。仕方なく、その日は旧式アイロンを購入して帰宅しました。

どの家も整理整頓は完璧

ドイツ人は物欲に振り回される人が少ない。折に触れてそう感じています。初めて義父母の家を訪れたときは、とにかくどの部屋も小ぎれいに整理整頓されていました。リビングだけでなく、バスルームもキッチンも寝室も、いたるところがきちんとしています。当然、事前に清掃をしてくれているのだと思っていました。でも、いつ行ってもきれいな状態なのは同じでした。

その後、新居探しのために、住民のいる物件をいくつか見に行く機会がありました。アポイントが突然入った物件でも、隅から隅までピカピカでした。

ご近所さんも然り。突然うかがっても、まるで前もって掃除していたようにきれいにしています。中にはまだ子どもが小さくて、おもちゃが出しっぱなしの部屋もありますが、それでもキッチンやバスルームなどは本当に清潔です。ドイツ人がきれい好きなのは（もちろん例外もありますが）整理整頓を子どものころから習慣づけているからと言えます。

そして、そもそも家に物が少ないというのが、整理整頓が行き届いている一番の理由だと思います。

ドイツの家と日本の家とが大きく違っているのは、キッチンの状態です。ドイツの家のキッチンは、すっきりしています。鍋やまな板などの調理用具はすべて収納されて、目に見えないところにあるからです。調味料もすべて戸棚の中にしまってあります。

ドイツでは、古くからそうする習慣があり、収納スペースの広さにかかわらず、多くの家庭がそのようにしています。

なぜドイツ人がすべての物を収納できるのかというと、収納できないほど物を買わないからです。キッチン用品であれば、必要な物を揃えたら、それ以外は本当に必要なのかを検討して、購入するかしないかをじっくり考えます。

ドイツ人は何十年も物を大事に使うので、単に便利とか最新だから、といった理由で簡単には新しい物を購入しないのです。そのため、物が増えすぎることがありません。電器店にコードレスアイロンが置いていなかったことも、これで理解できます。

「ありのまま」はとてもシンプル

ドイツ人には、物を無駄にしたり消費したりすることを嫌う人がとても多い印象があります。それは、ドイツが環境を重視する国であることにつながっているとつくづく感じます。私は、ドイツ人こそが、生粋《きっすい》のミニマリスト（最小限の物だけで暮らす人）だと考えています。「ありのまま」を大切にする生活は、とてもシンプルなのです。

知人の初老の婦人は、自分の祖母から受け継いだ銀食器を今も大事に使用しています。私の家でも、義祖母からもらった形見のブランデーグラスを大切に使っています。また、義母は夫が13歳のときに購入してプレゼントした鍋を今も使用しています。

もちろん、思い出の物だからという理由もありますが、まだまだ使えるので新しく買い替える必要がないと考えているのです。

ドイツに来てまもないころは、何を買おうとしてもベーシックな物ばかりで真新しい物がなく、ショッピングに行ってもほしい物が見当たらないので、仕方なくそのまま帰宅していました。でも今は、物を増やしたくないという思いが強くなっています。

一方、日本では、最新の電化製品や衣類をはじめ、どこに行ってもさまざまな品が揃っていて、消費意欲を掻き立てられます。そんな物に溢れた生活の反動なのか、最近は日本でも節約術やミニマリストが注目され、実践している人がたくさんいると聞きました。たしかに物が多いと、家の中がごちゃごちゃして気分が落ち込んだりしますから、思いきって不要な物を処分したほうが、心も軽くなるし、掃除も簡単になります。

しかし、そもそも物を買いすぎない、増やしすぎないようにすれば、ドイツ人のように苦労をせずに気持ちのいい家や部屋でいられるでしょう。

物に囲まれていないと不安になる、ストレス発散のためにブランド品や服を大量に買ってしまう、といった人も少なくないようです。でも、消費は一時の快楽になるかもしれませんが、物をたくさん買うことが、あなたを幸せにしてくれたでしょうか？

「ありのままの自分」を認めてあげることができれば、物に囲まれていなくても、あなたはあなたのことを肯定することができるはずです。

ドイツ人のシンプルな生活スタイルに、学ぶべき点は少なくないと思います。こうした暮らし方については第4章で詳しくお伝えします。

第2章【仕事観】

ドイツ人は「休む」ために働いている

短時間労働のドイツが経済大国になれる理由

ドイツ人の自己肯定感の高さは、彼らの働き方や仕事への向き合い方にも、よく表れています。この章では、ドイツ人のように、他者に振り回されずに「ありのままの自分」として働いていくにはどうすべきか、一緒に模索していきましょう。

労働生産性は日本の1・5倍

日本では「働き方改革」が叫ばれて久しくなりました。しかし、長時間労働や過労死、ブラック企業などの労働問題は根強く残っています。

ＯＥＣＤ（経済協力開発機構）のデータ（２０１７年）によると、日本人の年間総労働時間は１７１０時間、ドイツは１３５６時間です。１日の労働時間を８時間とすると、日本人は年間44日もドイツ人よりも働いている計算になります。このデータには、記録に残らない「サービス残業」は含まれていないため、日本人の中には年間３０００時間以上働いている人も少なくないと言われています。

これほど勤勉に働いているにもかかわらず、日本人の労働生産性（1人が1時間に生み出すGDP〔国内総生産〕）は47・5ドル（約5225円）。ドイツ人は69・8ドル（約7678円）です。単純比較すれば、ドイツは日本の約1・5倍の生産性があるといえます。

ドイツ人の生産性の高さは、ドイツの経済成長や景気の良さにもつながっています。

ドイツのiFO《イフォー》経済研究所よると、ドイツの経常収支（貿易・サービス・所得・経常移転収支）は、2016年から4年連続で世界最大の黒字になっています。

また、ドイツの連邦政府や州政府は、2015年の時点で財政黒字化を達成し、新規国債の発行が不要になっています。つまり、国が新たな借金をする必要がなくなったということです。これは、日本やアメリカが国の借金に長く悩まされていることを考えると、ドイツ経済がいかに好調であるかを物語っています。

「仕事と自分、どちらが大切か？」

なぜ、ドイツは短時間労働を実現しているのでしょうか。

その理由の一つは、法律で労働時間が厳しく規制されているからです。

ドイツには「労働時間法」という法律があります。これによると、1日の労働時間は8時間までに制限されています。10時間までは延長することができますが、その場合も、6か月間の1日あたりの平均労働時間は8時間以内に収めなければなりません。一部の例外の職種を除いて、この法律は厳守されています。

ドイツの労働安全局は、予告なく立ち入り検査を行ない、企業が労働時間法に違反していないか厳しいチェックが行なわれています。違反が発覚すると、経営者は1万5000ユーロ（約210万円）の罰金を科せられたり、1年間の禁固刑を科せられたりすることもあります。そのため、経営側は積極的に社員に残業をしないよう促しています。

このようにドイツでは、法律で厳しく定められていることが、長時間労働を防いでいる一因だと思います。

でもそれは、実は表面的な理由にすぎません。

仮に、日本にドイツと同じような厳格な法律があったとしても、仕事に対する意識を変えなければ、仕事を自宅に持ち帰って、「サービス残業」をしてしまう人が多くなるのではないでしょうか。

「何のために働いているのか?」——ひいては「何のために生きているのか?」「自分にとって幸せとは何か?」という、根本的な問いに明確な答えがないかぎり、長時間労働の苦しみから抜け出すことはできません。

そんなことは考えたこともない、という方もいるかもしれませんが、簡単なことです。

仕事と休日、どちらが大切か?

仕事と家族や友人との時間、どちらが大切か?

仕事と自分、どちらが大切か?

この問いに、即座に「休日」「家族や友人との時間」「自分」と答えられるのが、多くのドイツ人です。彼らは、仕事とは、幸せに暮らすための手段にすぎないと認識しています。

大切なのは、「自分」であり、「自分と一緒に過ごす家族や友人」であり、それを実現するための「時間」です。それが明確になっているからこそ、ドイツ人は短時間で仕事を終わらせることができるのです。

ドイツ人は何のために働くかを知っている

ドイツ人は何のために働いているのか？

その答えを一言で言うと、「休暇」のためです。

日本から移住後初めてのドイツでの休暇では、本当にゆったり過ごすことができました。

夫は転職したばかりなのに、すぐに1年間の「休暇取得計画」を会社に提出することが義務づけられて、驚いたことをよく覚えています。

初めての夏、7月には義祖父母の「金婚式」を祝うパーティがあったので、そのために2週間の休暇をとりました。当日は、家族全員でお祝いをし、素敵な思い出となる時間を過ごしました。

また、同じ年の11月には、週末を合わせて3週間の休暇を取得し、日本へ一時帰国をしました。ドイツに戻った後は、すぐにクリスマス休暇です。週末と合わせて1週間、義父母の家に滞在しました。

このようにドイツに来てからは、毎年必ず長期休暇と何回かの短期の休暇をとり、国内外のバカンスを楽しんでいます。

倹約家でも「旅行」にはお金をかける

日本で働いていたときは、残業や、仕事が終わってからの同僚との飲み会や付き合いが多く、平日に自分の時間を作るのは難しいのが現実でした。また、有給休暇も取得しづらい環境で、2~3週間の長期休暇を取得するなんて夢のまた夢でした。

しかしドイツでは、仕事が終わったら、残業もなく、飲み会や付き合いもなく、すぐに帰宅し、趣味や家族との団欒《だんらん》の時間を持つことができます。有給休暇をとることが当たり前の環境なので、毎年バカンスの予定を立てるのが楽しみです。

仕事をして収入を得ることは同じでも、仕事をする以外の時間の使い方が、日本とドイツではまったく違うのです。

わが家だけではなく、夫の同僚やご近所さんも、みんな同じように、家族や個人の生活を充実させています。ほとんどのドイツ人は、家族がいても独身でも、決められた有給休

グラフ2 ＜世界の海外旅行者数（出国者数）国別ランキング＞（2019）

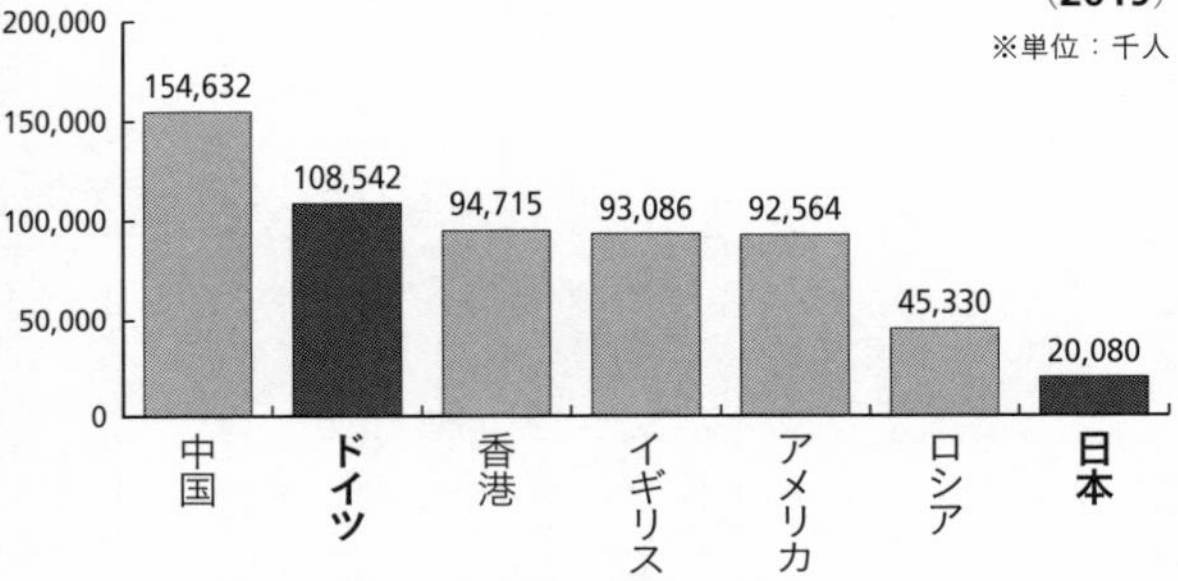

事実上、ドイツは世界一の旅行大国！

※人口比で見ると中国よりドイツのほうが旅行者が多い
※香港は中国本土やマカオへの渡航者も含む
※国際統計・国別統計専門サイト「グローバルノート」より作成

暇はほぼ100パーセント取得しています。そして休暇は、家族と共に、あるいは自分が行きたい場所へ旅行をして過ごすのが一般的です。

　ドイツ人は倹約家と言われますが、旅行に関しては当てはまりません。1年間のうち、通常は2〜3週間の長期休暇を取得し、旅行にお金を費やすのです。

　そこには、家族との思い出や自分の生活を楽しむためには、お金や時間を費やすのを厭《いと》わず、人生を満喫している生き方を見ることができます。そのためには、もちろんお金が必要なので、ドイツ人は仕事をしているのです。

人生を満喫する——それが一番の目標です。そのためには働く必要がある、というのがドイツ人の労働に対するイメージです。しかし、日本の場合は、生活を成り立たせるために働く、というイメージが先行しているのではないでしょうか？

仕事をして収入を得るのは一緒でも、「生活をしていくために働く」と考えるのと、「楽しく生きるために働く」と考えるのでは、心のゆとりがずいぶん変わってくるように思います。

計画した旅行や休暇を楽しみにして毎日を過ごしていれば、その期間がとても明るい充実したものになっていきます。

私がまだ日本の会社で働いていたころは、毎日が忙しすぎて、週末にゆっくりしても、またすぐ次の週が始まり、その繰り返しで疲れが抜けることはありませんでした。たまに週末に出かけても、疲れをため込むばかりで、仕事に行くのが億劫になったものです。

働くことに対するイメージが、ドイツと日本ではまるで違うのです。

休暇をとると「手当」がもらえる

ドイツは休暇を取得しやすい環境が整っています。連邦休暇法により、企業経営者は毎年24日以上の有給休暇を与えなければいけないと決められています。実際には、私の夫は年に30日間の有給休暇をもらい、さらに残業時間をオーバーしてしまった場合などはそれを代休に替えて、年間30日以上の有給休暇を100パーセント消化しています。

日本は勤続年数によって有給休暇の日数が増えていく制度です。勤続半年で10日間、1年増えるごとに加算され、たとえば3年半で14日間、6年半を超えると上限となり、20日間の有給休暇をもらえます。ドイツでは試用期間を過ぎれば、全員同じ日数の有給休暇をもらえます。勤続年数で差をつける日本のやり方が、私には理解できません。

さらに一番の問題は、有給休暇の消化率の低さです。コロナ禍になる前の2018年12月のエクスペディア・ジャパンの調査によると、日本の有給休暇取得率はたった50パーセントで、調査した19か国のうち最下位でした。ドイツは100パーセントです。

この本を執筆している今、コロナ禍のため旅行に行けないにもかかわらず、夫は2週間

グラフ３ ＜日本人の有給休暇取得率は主要国最下位＞

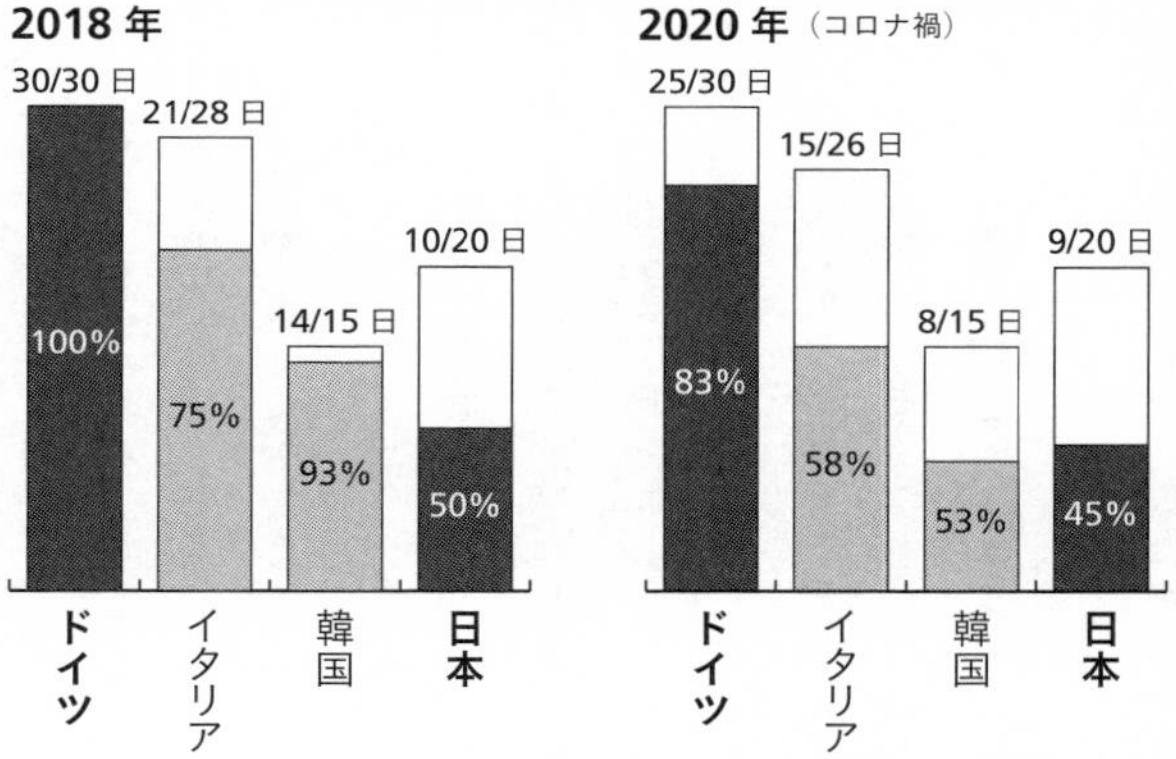

※「エクスペディア・ジャパン」の調査結果をもとに作成

の有給休暇を取得して家に滞在しています。

ドイツでは、有給休暇を取得すると「休暇手当」がもらえるので、休暇をとらないとかえって損になるのです。ちなみに、夫の会社では30日間の有給休暇の取得手当は、月額給料の半額が支給されます。

２０２０年はコロナ禍があって、世界中で渡航や移動に制限がかかり、旅行も思うようにできませんでした。そのため、世界的に有給休暇の取得にブレーキがかかったものの、ドイツは83パーセントの取得率を維持。一方、日本は45パーセントの取得率でした。

なぜ、日本人は有給休暇を取得できないのでしょうか？

日本人独特の回答として、「人手不足など仕事の都合上難しい」という理由があります。また、「有給休暇の取得に罪悪感がある」と答えた人は58パーセントに及び、これは調査国中トップの割合です。こういった点からも、日本人が家族や自分よりも、仕事を重要視していることがよくわかります。

仮にドイツ人が、「休暇を取得したいけれど会社が人手不足だな」と思ったとしても、それは会社が考える問題であって、個人が悩むものではないと考えます。ましてや自分が休暇をとることに「罪悪感」を抱く意味すらわからないでしょう。

会社は、社員が休暇を取得できる環境を作る義務があります。それに対して、個々の社員が気を遣い、休暇を取得しないという考えは起きないのです。ここからも、ドイツ人は個人、家族との時間や生活を優先しているのに対し、日本人は家族や個人の生活よりも仕事を優先する傾向にあることがわかります。

日本人が有給休暇を取得することに、「人手不足で迷惑をかける」と思ったり、「罪悪感」を抱いたりしてしまうのは、〝他人軸〟で生きているからにほかなりません。会社や上司などの都合で物事を考える癖がついているから、自分の気持ちや本音を押し殺してしまうのです。自己肯定感を高めて、〝自分軸〟で生きる力が必要になってきます。

成果を上げる〝正のスパイラル〟

ドイツで休暇を大事に考えるのは、もう一つの意味合いがあります。休暇をきちんと取得することで、リフレッシュができ、家族との関係も安定し、その結果、仕事の生産性が上がるという考えがあるのです。

欧米の映画ではよく、会社のデスクの上に家族の写真が飾ってあるシーンを見かけますが、これはドイツでも同じです。ドイツ人は仕事をしているときも、常に「家族ファースト」で、家族を大事にしていることを強く実感します。

たとえば金曜日の午後には、みんないつもより早く帰宅するので、金曜日に何か問い合わせをしたければ、午前中に電話をしないともう相手にしてくれません。午前中に連絡しても、「月曜日にあらためて連絡して」と言われることもあるくらいです。

家族は社会の最小単位と言われますが、家族を大切にしていると、家庭は安定し、自然と仕事にも打ち込めるようになります。逆に家族を大切にしないと、家庭は乱れ、仕事へ

右から著者、長男の聖也くん、夫。休暇で訪れたバイエルン州のレゴランドにて。

の集中力も欠いてしまいがちです。

ドイツでは日本よりはるかに仕事時間が短いのに生産性が高い、という謎の答えはこのあたりにあるのではないでしょうか。

ドイツ人は、家族愛の強さから仕事を集中してこなすので、残業をしなくてもすみます。そして、長期休暇を取得して家族との時間を大切にし、楽しい思い出を作るから、仕事へ向かう気持ちも保て、高い成果を上げられるのです。その結果、個々人の生産性は効率よく上がり、ドイツ経済を支えるという〝正のスパイラル〟が生まれているのです。

残業をしないための考え方

ドイツ人のほとんどは、残業をしないように仕事をしています。なぜかというと、早く仕事を終え、自分の趣味や家族との時間を楽しみたいからです。

ドイツの企業の多くは、フレックスタイム（1日に決められた労働時間はあるが、始業と終業の時間は自分で決められる）を採用しています。それぞれの都合に合わせて仕事を始め、終業時間になるとピタッと仕事を終えるようにしています。

夫の上司は部署で一番早くに仕事を始め、一番早くに帰宅するそうです。一般的な始業は9時ですが、彼の場合は7時に出社します。

1週間のうち3日間は8時間労働、2日間は7時間労働と設定し、規定どおり週38時間きっちり働いています。

ランチタイムはきっちり「36分」で、7時に出社すると、ランチタイムをプラスして、15時36分もしくは14時36分ピッタリに帰っていくそうです。

ランチタイムがなぜ「36分」なのかは、夫もわからないそうですが、1分1秒も無駄にしないという姿勢が表れているようにも思えます。

上司が早く帰宅してしまったあと、社員たちも上司と同じように、自分も残業しないように仕事に集中して終わらせていきます。

「残業＝能力が低い社員」

日本の会社は、今も好ましくない悪い風潮が残っているようですね。たとえ自分の仕事が終わっていても上司より先には帰宅しにくい、とよく耳にします。

まさにこれは、日本に蔓延《はびこ》っている「他人に振り回された悪しき働き方」だと思います。

上司より早く帰るとパワハラなどの問題が起こりやすくなるのかもしれませんが、これは非常に悪しき習慣です。私も日本で働いているころはそうでした。上司の目が気になって帰れない人は、「自分の人生」を見失っているとしか思えません。

また、上司も部下にそんな忖度をさせてしまっていることを、悪しき習慣だと認識し、自分が率先して残業しないなどの改善をすべきだと思います。

ドイツでは、残業を毎日ダラダラしている社員がいたら、その社員の評価は確実に下がります。決められた就業時間内に仕事をこなすことができない能力の低い社員とみなされるのです。

ドイツでは、誰も上司の顔色を気にして仕事をする必要がありません。人間関係よりも仕事の成果がそのまま評価になります。まわりと協力できるか、調和できるかというよりも、まずは成果、結果が重要なのです。

もちろん特例として、ドイツの経営者や管理職、自営業者は長時間働くこともあります。ただし彼らは、責任も仕事量も多いかわりに、収入も高いため、イヤイヤ長時間労働をしているわけではありません。経営者や管理職が平社員に比べて長時間働くのは、ある意味当然で、健全なことなのです。

社長に頼まれた仕事でも断れる

一般の社員が、万が一その日のうちにこなそうとしていた仕事が終わらなかった場合、すぐに残業をするのではなく、その仕事の重要度、期限、翌日以降の仕事の量を考慮して、残業の必要性を確認します。

上司から急遽依頼された仕事に関しても、その場で同じように確認します。たとえ上司から頼まれた業務であったとしても、重要度と期限を考慮して、自分の業務を優先させることがあります。

「他の仕事を割り込ませない」という考え方があるからです。

仮に上司が突然仕事を振ってきても、自分にできる仕事の量は限られています。プライベートの時間を切り売りするような働き方は選択肢に入らないため、上司とコミュニケーションをとって新規の仕事を断ることもあります。

また、自分に課せられている役割分担が明確になっているので、業務外の仕事を引き受ける必要もありません。

極論を言うと、社長に「コピーをとってくれ」と頼まれたとしても、それが本来の自分の仕事でなければ、断ることができるのがドイツの企業文化なのです。

だからドイツ人は、就業時間中は課せられた業務をひたすら集中して処理していきます。

とはいっても、ランチ休憩はありますから、休憩時間にゆっくりと休み、残りの時間に集中します。就業後に飲みに行くような付き合いはなく、ドイツでは、就業前のコーヒーを飲みながらの雑談が、同僚とのコミュニケーションの場となります。

余談ですが、夫の会社では、コロナ禍のリモートワークで定期的に行なわれる部署のミーティングの始まりの5分をこのカフェタイム、いわゆるコミュニケーションタイムに当てていました。それ以外に、ZOOMミーティングは行なっていません。

時間の無駄を嫌うドイツ人は、無駄な会議も嫌いなのです。

ドイツ人が残業をしなくてすんでいるのは、他人の目を気にしない働き方ができていることと、自分に課せられた仕事以外に無駄な時間を使わないことが実践できているからです。そのためには、仕事についての根本的な認識をアップデートしなければなりません。

仕事は、上司でも会社でも顧客のためでもなく、あなたが幸せな人生を歩むために必要な「ツール」にすぎない――その根本を忘れないことが大切なのです。

仕事に人生の時間を奪われない

自分の生活や生き方をコントロールするためには、仕事において、自分で時間をコントロールするという発想が必要です。

時間をコントロールすることで、必ず定時に仕事を終了し、残った時間で思いきり人生を満喫するのです。

友人のカタリーナさんは、仕事のあとに地域の文化センターの卓球クラブで汗を流しています。近所の女性は、教会のコーラスのメンバーとして仲間と一緒に練習に励んでいます。別の知人のニーナさんは、子どもの体操教室のトレーナーの資格を持ち、会社が終わったあとの平日2日間を、子どもたちの指導に当てています。

就業後の時間に、自分のやりたいことをして過ごしている方がドイツにはたくさんいるのです。

ドイツの会社で退社するときには、後ろ髪を引かれることもなく、あっさりと帰ることができます。個人が与えられた仕事をきっちりと終えることができれば、同僚がまだ残っていても、気にする必要がないからです。

他人の仕事まで手を出す必要はないし、そもそも責任を持てない他人の仕事に首を突っ込むこと自体が、あり得ないことだと考えます。

「担当者の休暇明けにまた電話を」

たとえば、こんなエピソードがあります。

私は仕事で、保険会社に連絡をとることが頻繁にあります。医院に支払いをすませ、保険会社に医療費を保障してもらう手続きをしたのち、保険会社に最終確認の連絡をしなければなりません。

しかし、この保険会社は、確認の連絡をとるだけでも大変苦労します。

保険会社に確認の電話をすると、「担当者が今いないため、後日また連絡をしてください」と言われました。ここまでは日本でもあり得ることですが、後日また連絡すると、「2週間の休暇をとっているので、その後にまた電話をしてください」と言われたのです。

結局、自分たちは人の仕事はわからないので何も答えられません、ということなのです。こうなると、こちらはひたすら待つことしかできません。

担当者が決まっていない場合は、「いつでもこの部署にお問い合わせください」という案内があります。しかし、電話のたびに相手が変わるので、毎回同じことを一から説明しなおすことになってしまいます。

たまたま時間があり、心に余裕がある人に当たると、問題は程なく解決しますが、「私が調べたかぎりではわからない。もう一度この部署あてにメールを書いて送ってください」などと言われたら、そのとおりにして、ひたすら返信を待つことになります。結果、返信がなければ何度もまた電話を入れて、ふりだしに戻って最初から問い合わせをすることになるのです。ひどいときには夏休みじゅう待たされたこともありました。

こういうスタイルがドイツなのだと理解するには、それほど時間はかかりませんでした。保険会社だけでなく、別の業種でも、役所でも、特例はありますが、基本的にみなこのようなスタイルで働いています。

顧客も会社も「ドライ」に

ドイツでは自分の仕事を自分で終える責任はありますが、他人に責任のある仕事にまで口を出すことはありません。いい意味でドライなのかもしれません。

それでもトラブルなく仕事が回っているのは、顧客も同じようにドライに受け止めて、自分自身も同じようにドライに働いているからです。

はじめから期待していなければ、イライラも落胆も怒りもなくなります。

日本の古い体質の会社では、自分に責任がない仕事でも、顧客からの問い合わせに対して、冷淡に応じたり待たせたりすることはご法度かと思います。「和」を守って、会社という「家族」として利益を上げるという「使命」があるため、自分には関係ない仕事でも、ひとりよがりに帰ることはできない、という暗黙のルールがあります。

でも今の時代、会社はあなたの人生のことなど何も考えていないドライな「チーム」です。あなたの人生を捧げる価値のある「家族」ではありません。

そんな会社のために、あなたの大切な自由時間を受け渡すなんて、冷静に考えてみると馬鹿らしくないですか？

　自分の人生の時間には限りがあって、家族と共に過ごす時間も、自分が元気で好きなことをやっていける時間も、永遠にあるわけではありません。

　一生懸命にまわりに気遣いをしながら、自分のためではなく会社のために時間を費やす人生が幸せでしょうか？　それで人生を満喫できたと思えるものでしょうか？


　コロナ・パンデミックが起きてリモートワークをするようになり、家族と一緒に過ごす時間が増えたと実感した方が、日本でも多くいらっしゃったことと思います。

　これを機に、「自分は何のために働いているのか？」「自分にとって充実した人生とは？」「人生をどのように満喫したいか？」という問いに真剣に向き合い、家族との楽しい時間や思い出を増やしてみませんか？

　ドイツ人のようにドライな働き方をすることが、そのためには必要になってくるはずです。

ドイツの職場でのコミュニケーション

ドイツ人が仕事を定時で終えて帰宅する際、同僚や上司のことを気にする必要がないのは、自己肯定感が高く、主体性を持っているからだといえます。

ドイツではたとえば、同僚を気遣って、特に意味のない声がけや雑談をしたりすると、集中して定時で帰りたい同僚に迷惑がられてしまいます。彼らには日本人特有の気遣いは理解できないので、迷惑でしかないのです。

「人は人、自分は自分」の区分けがしっかりできているため、自分が話したいからといって、相手の時間を奪うことになる生産性のない雑談が嫌われるのは当然です。

自分の人生の時間を大切にできる人は、他人の人生の時間も同じように大切だと認識できます。その結果、お互いを尊重し合った関係性が築けるわけです。

上司にも〝ため口〟でOK

ドイツ人の自己肯定感の高さは、社内でのコミュニケーションにもよく表れています。

ドイツ企業の会議では、参加者全員が各自の意見を述べていきます。黙っている人は一人もいません。自分が上司の意見とは反対のときでも、納得のいくまで対等に意見を交わし合うのが普通です。

私は日本企業で働いていたとき、他人にどう思われるだろうかと気にしたり、発言が間違っているのを恐れたりして、自分の意見を言わないことがありました。自分に自信がないということもありましたが、意見を言いづらい空気のようなものがあったと思います。

その点、ドイツ企業には、一人ひとりが意見を述べやすい風土がありました。

ドイツ企業の日本本社で仕事をしていたときのことです。その会社には、ドイツから駐在で来た社員が多く働いていました。転職したてのときに驚いたのは、上司と部下との間でも、お互いが友人同士のようなフランクな言葉（日本的に言えば〝ため口〟）で話していたことでした。その会社では、社長、副社長に対して以外には敬語を使っていませんでした。目上の人でも、「Du（ドゥ／君は＝親しい間柄に使う）という表現で僕を呼んでいいよ」と言ってもらったら、敬語は使わずにフランクに話していいのです。

会社による差や、知り合ってからの期間によって状況は多少異なるにしても、上司に敬語を使わなくてもいいという慣習があり、それが会議などでもフランクに意見を述べる機会を増やしているのです。

誰でも自分の意見を言えるようになる

ドイツでは、自分の意見を主張することが仕事以外の場面でも求められます。

移住してまもないころ、子どもの幼稚園の保護者会で、一つのテーマにそって、たくさんのアイデアや意見を交換する時間がありました。そこで私は、あるテーマについて「あなたはどうですか？」と聞かれたのですが、尻込みしてしまい、「その意見と同じです」と答えるだけで乗り切った記憶があります。それからしばらくは、夫にも保護者会に来てもらうことにして、意見を交わし合う場では、夫を隠れ蓑にしていました。

でも、だんだんと私にも「ドイツ人マインド」が育まれてきたのか、今では自分の考えたことを、さまざまな場面で主張できるようになりました。意見が違う場合は、なぜ自分は違うと思うのかを主張し、意見が同じである場合も、自分がその意見になる理由をとことん説明します。相手やその場の空気に流されたのではない言葉で、真正面からコミュニケーションをしていくのです。

すると、たとえ意見がぶつかっても、「あのときこう言えばよかった」「本音は違うのに」といった後悔をすることがなくなります。自分の気持ちを正直に主張することは、精神衛生的にもいいと思います。

人間関係の悩みの多くは、悩みを心の中に溜め込んでしまうことから起きます。思ったことをきちんと主張することは、気持ちいい人間関係を築くためにも大切です。

実際のところ、ドイツ人が主体性のある生き方ができるのは、こうした自由なコミュニケーションの場があることや、小さいころからの教育によるところが大きいと思います。

引っ込み思案だった私でも、ドイツの文化に揉まれて、少しずつ変わることができました。人は何歳からでも変わることができる。私が変われたのだから、今のあなたもきっと変われる。そのように思います。

会社にいるのは誰もが「専門家」

長女が幼稚園に入園するころ、夫から頻繁に「仕事をしたら？」と呟《つぶや》かれるようになりました。もともと仕事をすることが好きだった私は、育児のため仕事から離れていた長いブランクを克服すべく、就職活動を始めることにしました。

日本で就職していた最後の会社は、ドイツ企業の日本本社でした。ドイツの会社では退職する際に、会社での評価となる証書、Arbeitszeugnis（アルバイトツォイクニス）をもらいます。そこには、その会社でどんな仕事をしてどのように貢献したかなどが記されていて、次の就職先に応募する際に、それを提出する必要があります。

私は退職する際にドイツ移住が決まっていたので、あまりドイツ語ができないのに移住するのはかわいそうだと思ってくれた社長から、かなりいい評価の Zeugnis をもらっていました。そのため、多少ドイツ語が下手でも、日本でのさまざまな職種の実績と高評価の Zeugnis のおかげで、就職は難しくないと信じ込んでいました。

履歴書もきれいに作成し、まずは町の文化センターのコーディネーターに応募しました。しかし、結果はメール一つでお断り。面接にもたどり着けませんでした。次に、いくつかの中堅会社の秘書に応募しましたが、同じく面接にも至りませんでした。思い描いていた流れとまったく異なり、ドイツでの就職の壁が厚いことを身をもって感じました。

「専門外」への就職は難しい

しばらくしてわかったことは、大学あるいは専門学校で学んだ専科に通ずる職業に就くことがドイツでは当然で、専門外の職に就くことは、ほとんどあり得ないということです。日本では、大学や専門学校で学んだ分野とは異なる職にチャレンジすることが可能です。英文科を出て保険会社に就職する、家政学部を卒業して航空会社のCAになるなど、異業種への門戸は開かれています。

しかしドイツでは、ほしい人材がまったく畑違いの専門を学んでいたら、応募の段階の履歴書だけで、交渉すらアウトになるのです。

私としては、さまざまな職を経験し、それなりの実績を作っていたので、とにかくチャンスをもらいたかったのですが、ドイツでは面接にさえ呼ばれませんでした。ドイツの大学を卒業している、ドイツで職業訓練を受けている、ということであればチャンスがあったはずです。

また、ドイツで「ビタミンB」と呼ばれている紹介があれば、最初の関門を抜けられるチャンスはあるようです。ビタミンBの「B」とは、ドイツ語のBeziehung（ベツィーウング／人脈）の頭文字です。つまり、人脈があって強い推薦があれば、専門外の職に就ける可能性もあります。

しかし、私には人脈などありません。そんなことでドイツの会社でバリバリと働くことは叶わず、まずは日本の会社の契約社員として働くことになり、その後、自ら起業する道を選ぶことになるのです。

社内で部署の異動もない

専門性を重んじるドイツ企業では、入社後の部署異動もありません。

夫の働く会社を例にすると、人事課で働いている人は、希望しても営業課に異動することはできませんし、エンジニアとして働いていた人が広報部に異動することもありません。日本企業における「総合職」のような立場の人は存在しないわけです。

考えようによっては柔軟性のない組織に思えるかもしれませんが、逆の視点で見ると、一つのことを専門として集中的に学んでいれば、その専門職に就ける可能性が高いということです。

ドイツでは、外国人の社員も少なくありません。フランス人、スペイン人、中国人などには、役職に就いている人もいます。国籍に偏見はないので、専門を極めていてコミュニケーションに問題がなければ、ドイツ人か否かにかかわらず、就業の機会も地位も平等に与えられるのです。

日本では、マルチプル（多様）で総合的になんでもこなせてしまう人が多くいます。その理由は学校教育によるところが大きいでしょう。日本の学校には小学校から高校に至るまで、主要科目以外でも授業があります。音楽では音符を読んでピアニカを演奏し、家庭科では料理や縫い物まで学び、体育では水泳に跳び箱、バスケットボールにソフトボール、ダンスに至るまで体験することができます。広く浅くなんでもできるのが日本人です。

ところがドイツでは、日本のように多種の授業がないので、音符を読めたりピアノが弾けたりするのは楽器を習っている人、バスケットのルールを知っているのは一部の興味がある人たちだけなのです。

そのため、音楽家ではないのにハーモニカやリコーダーが吹けたり、少しでもピアノが弾けたりしただけで、「すごい！」と驚かれることがあります。

興味のあることはとことん追求

一方で、ドイツ人がすごいなと思うのは、自分が興味を持ったことは、とことん追求していく姿勢です。たとえば「折り紙」に興味を持つと、とにかく、とことん極めていくので、日本では見たことがないような斬新な折り紙の作品を折っていたりするのです。

このような背景から見ると、ドイツ人は融通が利かないけれど、自分の好きなことや興味を持ったことに関しては追求して専門性を持ち、その能力を伸ばしていく。そしてプロの職業人として活躍していくわけです。

近年は、ＡＩ（人工知能）によって「広く浅い仕事」は簡単に代替されていく傾向もあり、オールマイティーで何でもできる「何でも屋」よりも、一つのことを極める「専門家」のほうが、長い目で見ると生き延びていける時代になると言われています。

自分のできること、好きなこと、興味があることに向かって一直線に突き進むことで、日本国内のみならず、グローバルに活躍できる人材になることができるでしょう。ドイツ企業が積極的に採用している外国人は、誰もが高い専門性を有しています。

日本での就職では、専門外のことにもチャレンジしやすいというメリットがありますが、さまざまな仕事に手を出しすぎて、すべてが中途半端に終わってしまう危険性もあります。すると、いざ会社が倒産するなどの危機があったとき、「これだけは誰にも負けない」という強みがないため、歳を重ねるにつれて再就職が難しくなってしまうでしょう。

経済が右肩上がりで会社が個人を守ってくれる時代は、とっくに終わりました。

今後ますます、働く人それぞれにどんな強みや専門性があるのかが問われていくはずです。器用貧乏にならず、「専門家」であることが、日本やドイツのみならず世界中で、これからの時代には求められています。

メルセデス・ベンツのスローガン「最善か無か」

ドイツといえば自動車。その代表ブランドがメルセデス・ベンツです。今や世界中で高級車のメルセデス・ベンツを知らない人はいないと思えるほどに成功したダイムラー社は、世界で初めてガソリン車を開発した自動車会社です。

そのメルセデス・ベンツには、有名な企業スローガンがあります。

「Das Beste oder nichts（ダス ベステ オデァ ニヒツ／最善か無か）」

最善の車を作るか、さもなければ何も作らないか——。この姿勢は、まるでドイツ人の働き方・生き方を象徴しているかのように私には思えます。

就業時間内に自分の仕事は集中してやり終える。

就業後はプライベートの自分の時間、家族との時間を過ごす。

オン・オフの切り替えがはっきりしている。

相手と話し合うときも妥協をせず、〝空気を読んで〟譲ることはしない。

少し大袈裟に言うと、ドイツ人は自分が100パーセント満足のいくように生きていると私には感じます。それはまるで、このメルセデス・ベンツのスローガンのようです。

「オン・オフ」の切り替えが明確

前項でも記したように、ドイツ人は自分が働きたいと思う分野をはっきりと自覚し、専門分野を学び、仕事に就いています。そして企業も、必要なポジションに専門の相応しい人材を雇用します。日本は専門外であっても方向性を変えての転職が可能なことを考えると、ドイツは少し頑《かたく》なな印象を受けます。

しかし、専門分野に最適な人材が採用されるからこそ、労働者は効率よく仕事ができ、会社はより生産性を上げることができるのです。より高い技術で、より質のいい製品を作るには、物事にこだわりを持ち、追求することが何より大事だとも言えます。

世界でも「German quality」と言われ、メルセデス・ベンツは先ほどのスローガンのもとに130年以上にわたって、安全性と技術を追求し続け、高級車のブランディングを確かなものにしてきたことが、そのことを物語っています。

ドイツ人の「最善か無か」を体現する「オン・オフ」の切り替えの明確さは、休み方によく表れています。

ドイツ人は休暇をとると、まず会社のメールをまったくチェックしません。会社からの電話に出ることもないし、そもそも電話がかかってくることもありません。

児童や生徒は、金曜日に宿題が出ないので、週末は思いっきりオフの時間を楽しみます。夏季休暇やその他の長期休暇も宿題は出ないので、児童生徒は思う存分、羽を伸ばすことができます。プライベートの習い事、たとえばサッカーなどのスポーツの練習でさえ、特別な強化チーム以外は休みになってしまうのです。

「やるときにはやる、休むときには休む」。休暇中は、仕事も宿題も練習もゼロの状態。ここにも、メルセデス・ベンツのスローガンに通じるものを感じるのです。

AIにもできない仕事とは？

これからはＡＩの時代になり、９割の仕事がＡＩに替わっていくなどと言われています。そのため、ＡＩに代替される仕事をマルチプルに広く浅くこなすよりも、ドイツ人のように専門分野を極めて、〝自分軸〟や〝人間軸〟を持つように心がける必要があると思います。誰でも交換可能な仕事ではなく、ＡＩでも替わることのできない仕事、あなただからできる仕事をするために、自分軸を持つことが大切なのです。

ＡＩは休まず働きますが、私たち人間はオン・オフを切り替え、しっかり休まなければ、仕事で高いパフォーマンスを発揮できません。オン・オフのバランスを保ちつつ、人間らしいクリエイティブな自分軸を持つことが、理想的な働き方・生き方ではないでしょうか。ただ、日本人の、まわりの空気を読みながら妥協していける柔軟さは、さまざまな状況に対応をしていける良い面もあります。

私の考えとしては、そこにドイツ人的な軸というべきこだわりを取り込んでいければ、ぶれない心を持った自己肯定感の高い人材でありながら、よりしなやかで、クリエイティブな成果を出していける人材となり得るのではないかと思います。

日本人のメンタリティにドイツ人のメンタリティを柔軟に取り込んでいく。すると、チームワークにも秀でた、世界で活躍できる日本オリジナルのビジネスパーソンになれるのではないでしょうか。

長期休暇をとるために「休暇仲間」を作る

コロナが無事に収束したら、ドイツ人はみなこぞって旅行に出かけることでしょう。

ドイツでは、ワクチン接種も進んできて、2020年12月から始まった厳しいロックダウンも、2021年5月以降は緩和されました。2021年10月現在、ミュンヘンの1日の新規感染者数は200〜300人程度に落ち着き、PCR検査をせずにフィットネスクラブの利用や屋外のカフェやレストランでの飲食が可能になり、まったく外食ができなかった状況から解放されました。

ラジオから流れてきたニュースによると、ドイツ人に大人気の観光地であるスペインのマヨルカ島のレンタカー料金はコロナ前に比べて2倍に跳ね上がったそうです。マヨルカ島は、日本でいうところのハワイのような人気スポットです。

コロナ・パンデミックでの損害を取り戻すため、レンタカー代も高騰しているようで、今後はホテルなど旅行関係のサービスの値上げが予想されます。

旅行大好き大国ドイツにとって、これらのニュースはかなり衝撃的です。ご近所さんや友人などとの会話でも、真っ先に話題にのぼるほどです。それくらい旅行に人生を捧げている人が多いのです。これは、あながち大袈裟な表現ではありません。ドイツ人の1年の予定は、まず長期休暇をいつ取得し、どこに旅行するかを決めることから始まるのですから。

休暇をとりづらい空気を変えるには?

日本のみなさんも、有給休暇をまとめて取得すれば、制度的には長期休暇をとることも可能でしょう。しかしそれが、実際にはなかなか難しいことも承知しています。

一方、ドイツ人が何の問題もなく当然のように長期休暇をとって人生を満喫していることを知れば、実は長期休暇をとることはさほど難しいことではないと気づくはずです。

私の夫は毎年、同じ部署の同僚と休暇を取得するためにお互いに話し合います。

わが家は就学生がいるので、学校休暇にしか長期に休暇をとれません（ドイツの学校では、特別な理由がない限り、決められた休暇以外に休むことは許可されません)。

同僚もたいていは家族がいるので、休暇が重ならないように話し合いをするのです（もっとも、たとえ重なってとったとしても、特に支障がない場合が多いのですが)。

夫の部署は、お互いに代理を立てて、休暇中に重要事項あるいは緊急事項があれば、どのように手続きすべきかを確認・了解し合っています。実はドイツでは、夫たちの部署の例は顧客にとっては「良心的」なもので、まったく代理を立てずに休暇をとる部署や会社も少なくありません。ドイツではまわりの空気を読んだりする習慣がないので、自分が休みたいときにあっさり休んでも、特に問題とされないのです。

とはいえ、自由に気がねなく長期休暇をとるうえで、日頃から部署での人間関係を良好にしておくに越したことはありません。夫の場合は、同じように就学生のいる、気の合う同僚と交替で休暇をとっています。そのほうが、お互いに好都合だからです。

たとえば、子どもの夏季休暇の6週間に休暇をとるときは、前半の3週間にとるか後半にするか、イースター（復活祭）休暇やフィングステン（精霊降臨祭）休暇のようなカトリックの休暇はどちらがとるかなどを相談し、翌年は逆の日程にするなどして休暇を決めています。そうすれば、その年ごとに互いに都合のいい休み方ができるわけです。

もし日本でも、長期休暇をとるのに仕事で迷惑をかけるという「罪悪感」を抱いてしまう人、上司の目を気にして休みづらいと思っている人は、同じ部署に「休暇仲間」を作ってみてはいかがでしょうか。

気の合う休暇仲間と、長期休暇をとる日程を互いに調整して、休暇中の仕事をサポートし合えば、仕事で迷惑をかけるかもしれないという不安は解消されるでしょう。

また、自分一人ではなく複数で有給休暇の申請をすれば、休暇をとりづらい「空気」も気にしないで済みます。休暇仲間が増えていけば、いずれ部署全体に「有休を消化するのは当たり前」という新たな空気を生むことができるかもしれません。

ボトムアップで、どんどん快適な職場環境に変えていくことを提案します。

頭の中から仕事のことを追い出す

長期休暇中は、仕事のことを忘れて思いきりリラックスするようにしましょう。

ドイツ人は、長期休暇は最低でも14日間取得し、その間は会社のメールを一切チェックしません。携帯電話もほぼ鳴ることはありません。

夫は日本での駐在経験があるので、念のため仕事の代理をお願いしていますが、実際に今まで代理で何かをやってもらったことはないそうです。

顧客も他の部署も、担当者が休暇中ということがわかれば、その間は業務が進まないことは了解しているので、思う存分、休暇でリラックスすることができます。

休暇慣れしていない人は、旅行に行ってもついついメールのチェックをしてしまいがちです。ですが、よく考えてみると、一刻も早く返事しなければならないメールなど、ほとんどないのではないでしょうか。また、メールに自動返信の設定をし、自分が休暇中であることを伝える方法もあります（日本でも一部で導入されています）。

本当に休暇でリフレッシュするには、頭の中から一度、仕事のことを追い出す必要があります。すると、仕事に戻ったとき、新鮮な気持ちで、潑剌《はつらつ》と会社に向かうことができるでしょう。頭の回転も速くなり、集中力もグンとアップするはずです。

日本人もそろそろ本格的に、働き方と休み方について、見直すべき時期にきていると思います。みなさんも、心の中でそう感じているのではないでしょうか。

ドイツ人は日曜・祝日に買い物をしない

日本では、週末にショッピングを楽しんでいる人が多いかと思います。

日本人がドイツにやってきて、まずカルチャーショックを受けるのは、日曜日や祝日に、店舗がほとんど開いていないことでしょう。

ドイツには「閉店法」という法律があります。大きな駅や空港の店舗、ガソリンスタンドや飲食店などを除いて、日曜日と祝日の店の営業は原則として禁止されているのです。そのため、食べ物や生活必需品をはじめ、買い物はすべて平日か土曜日までに終わらせておかなければなりません。

閉店法によって、平日もお店は20時までには閉まります。24時間営業のコンビニエンスストアや深夜まで開いているスーパーもありません（規制緩和によって、ベルリンなどの一部の州は、平日の24時間営業や、日曜祝日の営業を年6回だけ認めるなど例外がありますが、2021年現在も、いまだ限定的です）。

（左）ドイツ第三の都市ミュンヘンの夜景（右）日曜の街は静かで誰もいない。

ドイツは、アメリカ、中国、日本に次ぐ世界第4位の経済大国なのに、日曜祝日はほとんどの国民が休んでいるなんて驚きですよね。

もともと日曜日はキリスト教の安息日だという文化的な背景もあって、閉店法は1900年に制定されました。その後、時代に合わせて何度か改正が行なわれて、2003年に現行法になりました。私が移住したころは、平日の営業時間は7時から18時半まで、土曜日は14時にお店が閉まっていました。

ドイツ人にとって日曜や祝日は、家族や友人、恋人などの大切な人たちとゆっくり過ごす日という認識が根づいています。閉店法のせいで不便だし、経済効果も失われるという否定的な声もありますが、「すべての人が日曜祝日は家族のためにも休む権利がある」という声は少なくなく、今日まで続いています。

日本ではサービスが過剰になり、24時間営業は当たり前。一部では正月三が日も営業するお店があると聞きました。便利な世の中になったものですが、それだけ、そのサービスを提供する現場の人には負担がかかっているともいえます。

休日はとにかくアウトドア

日本にいたころの私も、日曜日や祝日にはショッピングへ行くことが多かったのですが、ドイツに来たとたん、日曜に何をしたらいいのかわからなくなりました。

夫とも、週末によく「みんな何をしているのだろうね」「そうだね。どうしようか」という会話をしました。夫は日本に7年近く住んでいたので、日本の週末の過ごし方に慣れてしまい、選択肢が少ないことに戸惑っていました。

ドイツでは家族と、あるいは大切な人と、ゆっくり休日を過ごすというのが普通です。また、仲の良い人を呼んでホームパーティをして過ごすこともあります。

私たちは、移住したばかりのころは生活に慣れるために週末はゆっくり家で過ごしていましたが、しだいに他のドイツ人がするように散歩に出るようになりました。

ミュンヘン市の中心は、木々が生い茂って緑の多い公園がたくさんあります。街の中心から少し離れたところに森や湖があり、本当に自然が豊富で、静かな環境なのです。

ドイツ人は、冬の寒い日でも夏の暑い日でも、とにかく外に出て散歩をしています。老夫婦も若いカップルも、外の空気を吸いに、そして太陽の日差しを求めて歩いています。犬を飼っている人も多いので、犬を連れている人をよく見かけます。

ドイツ人の休日は、ショッピングという選択肢がないので、アウトドアを楽しまないと何もせずに家に籠もることになってしまいます。ドイツはアルプス山脈の北側に位置しており、天気の良い日が比較的少なく、1年のうち、半分くらいは曇りや雨の肌寒い日になります。そのため、太陽の日差しがある日には、ここぞとばかりに外へ出て楽しむのです。

太陽の日差しを浴びると、体内でビタミンDが合成されます。ビタミンDは免疫機能を調整してくれるなど、心身の健康を維持するために欠かせない栄養です。ドイツ人が散歩を習慣にしているのはビタミンDを生成するため、というのも理由の一つのようです。

日照時間が少なくなる10月以降に、うつ気味になる人が多いのは、太陽の日差しを浴びる時間が少なくなるからだと言われています。

ハイキングとサイクリングは本格的

夫は日本から戻ってきてしばらくすると、山登りの楽しさに目覚めました。まだ子どもたちは幼稚園児や小学生でしたが、たびたび長期のハイキング休暇を計画して出かけることになりました。同じように小さな子どもがいるファミリーを誘って、一緒に山登りをしたのを思い出します。

日本でハイキングというと、鼻歌を歌いながら楽しく歩くイメージがありますが、こちらのハイキングはもっと本格的な「スポーツ」です。山登り用の靴や服装が必須で、山を下りるときのためにストックまで常備していきます。

はじめはそのような装備が必要だと知らずに行ってしまったため、壁をよじ登るようなところや、40センチくらいの幅しかない細い山道があって、面食らいました。

老人たちが気軽に歩いていくので問題ないと高をくっていましたが、当時まだ30代だったのに私はヘトヘトになり、ドイツの老人たちの体力に驚愕《きょうがく》したものです。ドイツ人は若いうちからハイキングをしているので、体力があり、経験も豊富なのです。

休日のアウトドアで、ハイキングと並んで人気なのがサイクリングです。春先から冬の前まで、サイクリングが可能な季節になると、大勢の人が自転車を走らせます。

コロナ・パンデミックになってからは、公共交通機関での感染を避ける目的で、自転車がさらに売れ、在庫がなくなるほど自転車の普及が加速しました。

その後さらに行動の制限が緩和されると、平日に、通勤のためにヘルメットをかぶって自転車に乗ったドイツ人の姿をこれでもかというくらいに目にするようになりました。

土日、祝日は、さらに多くのドイツ人がサイクリングに朝から出かけます。ほとんどの人がヘルメットをしっかりかぶり、手袋をしサイクリング用のシャツを着てパンツを穿き、準備万端で出かけます。ハイキングと同じで、何かと本格的なのです。

コロナ・パンデミックがきっかけで、道路には自転車道がさらに整備され、通勤にも休日のサイクリングにも、より快適な環境が整ってきています。

大人だけが自転車に乗っているのではありません。天気がいいと、子どもと一緒に家族

赤ちゃんが乗れる自転車用ワゴン。

でサイクリングに出かけます。赤ちゃんがいる家族では、自転車につけて走れる赤ちゃん用のワゴンを利用して、アクティブに楽しんでいます。

ドイツは環境意識が高い人が多いので、排気ガスを出さない自転車は好まれます。また、自動車に比べて健康に良く、自然を楽しむこともできて、お金もそれほどかかりません。サイクリングは、ドイツ人が好むものが揃った、最高な休日の過ごし方だと言えるのです。

休日はショッピングに行ったり、家でダラダラ過ごしたりすることが多い人は、試しにハイキングやサイクリングなど、自然を満喫できるアクティビティに挑戦してみてはいかがでしょうか。心身ともにリフレッシュして、月曜からの仕事に臨めることと思います。

収入に合った楽しみは無限にある

ドイツ人は大の旅行好きです。前述したように、1年の計画は、いつ休暇をとって、どこに行くかを決めることから始まります。

もちろん収入の多い少ないがありますから、みながみな、大金を費やして行くような豪華旅行をしているわけではありません。家庭ごとに、あるいはその人の収入に見合った、そして目的に合った旅行をして、みなさん有意義な休暇を過ごしています。

長期滞在型でゆっくり過ごす旅

私自身も、日本に住んでいたころは、ドイツ人の同僚たちとグループを組み、国内旅行から海外旅行まで頻繁に行きました。彼らの旅行は、短期間ではなく長期間で予定し、じっくり一つの国を満喫するという楽しみ方でした。

もともと私は若いころから旅好きで、国内旅行や海外旅行にもよく行っていたのですが、短い期間に予定をみっちり入れて、少しでも多くの観光名所を巡ることを目的としていました。そのため、ドイツ人のように、長い期間同じ場所に滞在して、ゆっくり過ごす旅行の楽しみ方は、とても新鮮でした。

ミュンヘン移住後は毎年長期休暇をとり、ドイツ国内や日本への一時帰国、ヨーロッパ各国やアジア諸国など、さまざまな場所に出かけました。

まだ子どもが乳児でも、オムツやミルクなどの乳幼児用品を持って長期休暇に出かけるのは、ヨーロッパでは普通のことです。ヨーロッパには、乳児や幼児がいても、ゆったりとした長期休暇が味わえる施設や場所がたくさんあるからです。

家族のためのパッケージツアーでは、ベビーベッドが用意され、子どもを預かってくれることもあります。季節アルバイトに来ている学生や若い男女が保育士のように子どもと一緒にダンスを踊ったり工作をしたり、発表会のようなことまでやったりと、盛りだくさんのメニューで楽しませてくれるのです。

そこで知り合った子ども同士の付き合いや、親同士の付き合いが、帰国後に続くことも多々あります。子どもたちだけで楽しんでいる間は、両親は夫婦での時間を持てるようになるので、家族みんなで楽しめる休暇になるのです。

日本でも、家族連れで海外旅行に行くようになってきていますね。これからはヨーロッパのように、乳児や幼児、子どもたちを連れて気軽に行ける施設や場所が増えてくると、より家族の絆が深まり、思い出や幸せな時間を作れるようになるでしょう。

「犬連れ」ならキャンピングカーがオススメ

キャンピングカーを所有して、休暇に出かける方も多くいます。一台キャンピングカーを持っていれば、毎年お気に入りの場所に行くことができます。食べ物や飲み物を買い込んでおけば、ガソリン代を支払うだけで、ホテルに宿泊するよりも格段に安く旅行することができます。

特に犬を飼っている家族は、キャンピングカーで休暇を過ごすことが多いようです。2週間以上の休暇で、犬を一緒に連れていくにはキャンピング場はもってこいなのです。

友人のお嬢さんは、小麦粉アレルギーを持っているので、通常のレストランではほとんど食べるものがありません。そのため、友人家族はキャンピングカーでの休暇がお気に入り。毎年決まってクロアチアのお気に入りのキャンピング場へと、2匹の犬を連れて向かいます。そこで毎年会う犬連れの知人家族に、犬も友人も再会できるのを楽しみにしているそうです。

もちろん収入の多い方は、ドバイの高級ホテルに滞在したり、スペインの高級リゾート地に買った別荘に出かけたり、冬には富裕層の集まるスイスやオーストリアのスキー場に滞在したりとさまざまです。

遠出ができない場合は、国内の山や湖の近くの民泊に泊まったりと、収入に合った休暇をそれぞれが楽しんでいます。

ドイツ人は、それぞれの人が家族、個人の幸せを優先に考え、仕事はそれを可能にする手段と位置づけて、「楽しい時間を過ごす」ことを目的にしています。

もし仕事を優先して余暇の時間を持つこと、楽しむことができていないのであれば、何のために仕事をしているのかを見直して、自分のためにも家族のためにも、少しでも幸せだと思える、ゆとりある時間を作るように心がけてみてはどうでしょうか。

リタイア後もドイツ人は旅に出る

私の義父母は毎年クルーズ旅行に行くのを楽しみにしています。コロナ・パンデミックになったここ1年半は、残念ながら予約をキャンセルすることになってしまいましたが、今も行きたくてウズウズしています。

50代のころに友人に誘われて初めて申し込んだクルーズ船の旅があまりにも素晴らしくて感動し、それからは毎年クルーズ船に乗るようになったそうです。

クルーズ船の旅というと、リッチな人が楽しむイメージがあるかもしれません。もちろん、そのような豪華なクルーズ船旅行もありますが、義父母は自分たちの収入に見合ったリーズナブルなツアーを選んで楽しんでいます。

二人は現在70代で、義母はずっと主婦をし、義父は化学薬品工場を退職した年金受給者です。退職前から、クルーズ船の旅に行き始め、すでに何度も世界クルーズ船旅行に出かけています。一度の旅行はだいたい4週間くらいで、たくさんの国を巡るクルーズもあれば、アフリカだけ巡るクルーズなど、さまざまなツアーに参加しています。

クルーズの楽しみは、普段あまり縁のない豪華なディナーやエンターテインメントに触れられること、ほかのゲストと交流できること、船でゆったりとした時間を満喫できること、だそうです。

船に乗っているだけなので移動の負担もなく、いろいろな国や都市を訪れることができるので、身体的なストレスもないのがお気に入りだと言います。

また、義父は糖尿病を患っているのですが、携帯しているインシュリンを部屋の冷蔵庫に保管でき、船にはドクターも待機しているのもポイントです。急な病にもすぐに対応してもらえる安心感が、高齢層にクルーズ旅行が支持されている理由の一つだと思います。

義父母はクルーズの旅費を普段から貯めていて、次年度の旅費まで確保しています。

毎年の旅の計画はいくつになっても楽しいようで、時間がたくさんある二人は申し込みから出発までの間、訪れる国や観光地について下調べをして、期待に胸を膨らませています。そして、旅行期間中は、思いっきり羽を伸ばして楽しむのです。

こういう目的があるので、義母は糖尿病の義父の食事の管理やコントロールなどを一緒に行ない、散歩を心がけて体力維持にも気を遣っています。

旅行が終わると、今度は各地で撮影した動画や写真を自分で編集し、思い出のアルバムを作るのが義母の趣味になっています。実家を訪れると、「思い出観賞会」が長くなるので、孫たちが「それだけは勘弁してくれ」と私にこっそり伝えてくるくらいです。このように義父母は、リタイア後も生きがいとして旅行を楽しんでいます。

「人生を楽しむ」達人たち

ご近所のシュミットさんは85歳まで、毎年寒さの厳しい2月から3月末までと、11月から12月初旬までの年2回、奥さんとキャンピングカーで旅行をしていました。

南ドイツから高速道路をずっと運転し、スペインの南のお気に入りのキャンプ場を目指して出かけます。キャンピングカーに食べ物や飲み物を買い込んで出かけ、少なくなると現地で購入します。キャンピングカーに備えてあるミニキッチンで調理をして過ごすので、ホテルに宿泊するよりも格段に安く旅生活ができます。

彼らの楽しみはキャンプそのものもさることながら、同じキャンプ場で顔なじみに再会することでもあります。時期を同じにすることで、どこからともなく集まってくる、一年に一回会える七夕仲間たちと、再会の喜びを分かち合うのです。

キャンピングカーには自転車やカヤックなどを積んで出かける人も多いです。70歳以上の高齢になっても、電動自転車などを積み込んで、山道のサイクリングもするそうです。ドイツの高齢者たちが、いかに体力があるか想像できると思います。

ドイツでは日常的に散歩やジョギングをしているお年寄りが多く、休日にはサイクリングやハイキングに忙しくしています。

微笑ましいのは、手をつないで一緒にお散歩をしている老夫婦が多いことです。若いころから変わらず、恋人同士のままずっと仲良くしている光景には憧れます。

ドイツ人は若いころから「人生を楽しむ」ことを優先しているので、高齢になってからもそれぞれのやり方で晩年を楽しんでいるように見受けられます。どんなに仕事に成功しても、たくさんお金を貯め込んでも、人生の楽しみ方を知らなければ、人は幸せになれないのではないでしょうか。

手をつないで散歩する老夫婦の後ろ姿を見て、ふとそんなことを思うのです。

誕生日は自分が周囲を盛大にもてなす

日本では、誕生日の人はプレゼントをもらえたりご馳走してもらえたりと、みんなにお祝いをしてもらえる、ある意味では「お得な日」です。

でも、ドイツでは真逆です。自分の誕生日は、お世話になっている人たちに自分がもてなすという慣習になっています。子どもだけでなく、いくつになってもお祝いをします。

特に「0」がつく年齢には盛大にお祝いをします。誕生カード売り場には、通常90歳くらいまで印字されたバース

お店の広いスペースで、さまざまな種類の誕生カードが販売されている。

デーカードがたくさん並んでいます。子ども用、大人用、きれいなもの、ウィットに富んだものなど、さまざまです。

夫の誕生日は手作り寿司を〝出前〟

ここまで読んでくださった読者の中には、ドイツの職場での人間関係はドライに感じられたかもしれませんが、誕生日は別です。

移住して初めての夫の誕生日。「新しいドイツの会社の同僚に思いきり楽しんでもらおう」「一緒に話せる機会を持ちたい」と、夫は私に飲み物や食べ物、ケーキを作るように頼みこんできました。私もその思いをくみ、「よし、みんなにびっくりしてもらおう！」と腕を振るいました。奮発して、手に入りにくい寿司ネタを仕入れ、握り寿司を作りました。ケーキは豪華なフルーツケーキを作り、ランチタイムに夫に車を出してもらって、ケーキが崩れないように慎重に会社に運びました。

ドイツでは手に入るネタに限りがあるので、握り寿司はマグロ、サーモン、イクラ、ゆでエビ、巻き寿司はかっぱ巻き、カリフォルニア巻き、アボカド巻きを用意しました。

当時ドイツでは高級だと思われていたお寿司はあっという間になくなるほど大好評で、今後の会社でのスムーズな人間関係に一役買ったと小躍りしたのを覚えています。

夫の同僚の誕生祝いでは、その同僚がパン屋から焼き立てブレッツェルを取り寄せ、職場に白ソーセージと甘いマスタード、ビールを用意して祝ったこともあったそうです。会社でビールとはさすがはドイツ。白ソーセージは南ドイツのバイエルン地区の名物です（ドイツの会社すべてが飲酒ＯＫというわけではありませんが、日本で私が働いていたドイツ企業の日本本社では、会社の冷蔵庫にはいつもビールが入っていました）。

ドイツの職場では〝仕事帰りに一杯〟はありませんが、誕生日のような特別な日が、同僚たちとコミュニケーションをとり、互いの人間関係をスムーズにするためのチャンスになっているのです。

「0」のつく誕生日はもっとすごい

「0」のつく歳のお祝いはさらに特別です。たとえば50歳、60歳、70歳、80歳のお祝いでは、「よし来た！」とばかりに、盛大にパーティを計画します。

プロのミュージシャンを呼んで、夫の誕生パーティを盛り上げた。

夫の50歳の誕生日には、お気に入りのレストランを半年以上も前に貸し切り予約をしました。招待状を郵送して出欠を確認し、人数が決まったら、食事の試食、ワインの試飲までしました。

それだけではありません。催しまで計画するのです。

このときは、トランペット、ギター、コントラバスのミュージシャンを呼ぶために実際に演奏している場所まで聴きに行き、時間、曲までリクエストして打ち合わせました。最後は、ゲストみんなに夫をイメージして絵を描いてもらうという企画も準備しました。

それで終わりではありません。ゲストは親戚以外に、幼少のころから仲のいい同窓生や近しい友人など、彼が大切にし、ずっと仲良くしていきたい人たちです。遠方に住んでいる人もいるので、宿泊場所も予約しました。

当日のスケジュールは、朝11時にミュンヘン市中心の駅に集合。市内観光のツアーも予約していたのでガイドさんも登場し、市内の観光スポットを歩きながら回って、もちろん美味しいビールも堪能。3時間を超えるツアーが終わると、夕方にはパーティ会場に再び集合し、盛大にゲストを迎えて、夜中の1時まで楽しいひと時を過ごしました。

日頃は必要な物や、実用的・合理的な物だけにお金を使い、「倹約家」が多いと言われるドイツ人でも、自分の誕生日のときは、大好きな、大切な人を呼び寄せて、ここぞとばかりに盛大にお金と時間を使って楽しみます。みんなと絆を深めて、喜んでもらうために、大盤振る舞いをするのです。

ドイツでは、誕生日は自分が本当に会いたい人たちを呼び、自分が主役になって楽しむための時間です。お財布のひもが珍しくゆるくなるのは、大好きな旅行と同じように、誕生祝いが人生の中の大事な行事だからです。

仕事に集中→定時に帰宅→余暇を満喫

日本でドイツ流の誕生祝いをするのは難しくても、ここ一番で「大切な人と思いきり楽しむ」ことは誰にでもできます。普段は職場でドライな人間関係だったとしても、1年に一度でも会社の同僚などを自宅に呼んでホームパーティをすれば、互いに信頼感を育んでいけるのではないでしょうか。

いつも気遣いや忖度ばかりしてしまうのは、根っこの部分で信頼感が育まれていないからかもしれません。たとえ議論が紛糾したり、厳しい叱責を受けたりしても、人間関係がしっかり築けていれば、嫌な思いやモヤモヤをいつまでも引きずることがありません。

楽しむ時間は思いきり楽しんで、人間関係を深める。

毎日の仕事では、他者を気にしないで、自分の仕事に集中する。

集中するから定時に帰れて、余暇の時間を満喫できる。

ドイツ人の生き方を参考にして、このような理想的なスパイラルを生むことが、「ありのままの自分」として幸せに生きるためには必要なことだと思うのです。

第3章【教育法】

メンタルを強くするドイツ人の子育て

自己肯定感は生きる力になる

私が見聞きするたびに、いつも心を痛めている日本のニュースがあります。自殺や過労死に関する報道です。

２０２０年はコロナ禍の影響もあり、自殺者数は2万１０８１人に及び、11年ぶりに増加に転じたそうです。なかでも若者の自殺が増えていると聞くとつらい気持ちになります。厚生労働省の「２０２０年版自殺対策白書」によると、15～39歳の各年代の死因の第１位は自殺です（２０１８年）。また、15～34歳の世代で死因の1位が自殺なのは、先進国（G7）のなかでは日本だけです（調査の年次は各国で異なる）。この世代の日本の自殺死亡率（人口10万人あたりの自殺者数）は、16・3人にのぼります。一方、イギリスは7・4人、ドイツは7・5人、フランスは7・9人という数字です。ヨーロッパ諸国の若者に比べて、日本の若者のほうが、自ら命を絶ってしまっているという悲しい現実があります。

自殺原因の最多は「学校問題」

全世代で見ても、ドイツの自殺死亡率10・2人に対して、日本は17・3人に達しています（2016年）。どうして日本は、ドイツよりも自殺者が多いのでしょうか？

自殺の原因は人それぞれで、経済問題や健康問題など、さまざまな理由が絡み合って起きるものだと思います。それでも、20歳未満の自殺者の遺書などから原因を推定した結果、「学校問題」が最多で、続いて「健康問題」と「家庭問題」が挙げられるそうです。

専門家ではない私が断定できるものではありませんが、特に若者の生きづらさには、「自己肯定感」の問題が大きく関わっているのではないかと思います。なぜなら自己肯定感とは、生きる力、生を肯定する力、そのものだからです。

自己肯定感を持てるかどうかは、幼少期から青年期にかけての人格が形成される過程、つまり家庭生活や学校生活から大きな影響を受けます。

この章では、同じ経済大国でありながら自殺者が少ないドイツのやり方を見ていきながら、自己肯定感を育むための子育てや教育について考えていきましょう。

赤ちゃんとは別のベッドで寝る

私は妊娠8か月のお腹を抱えてドイツに移住し、その2か月後の1999年1月に長男を出産しました。産婦人科検診からカルチャーショックの連続でしたが、出産は世界共通と思っていた私は、出産当日は想像していたより怖くありませんでした。でも、その直後から、日本とドイツとでは育児の仕方がまったく違うことを知り、その後もさまざまな驚きに対応していくことになりました。

まったく育児初心者の日本人母とドイツ人父の〝へなちょこ育児〟が始まったのです。

やはり日本を離れる心細さがあり、日本の育児書を持ってきていました。出産から3歳くらいまでどのように育児をしていくのか書かれていたその本は、私のお守りのようなものでした。育児書どおりに毎晩沐浴をさせたり、オムツ交換したりと、出産してしばらくは幸せな日々を過ごしました。

しかし、だんだんと、本のとおりに事は進まなくなっていったのです。

たとえば、ドイツで子どもは赤ちゃんのときから親とは別の寝室で寝るのが普通です。赤ちゃんは雑音がないほうが眠りやすく、またお母さんもゆったりと眠れるという考え方があるからです。そのため、ベビーベッドは子ども部屋に置かれ、夜泣きがあるたびに起きて、その部屋に行かなければなりません。私もそうしました。

しかし私は初めての育児で、赤ちゃんが自分のそばにいないと本当に不安でした。そこで、音で確認できるベビーフォンというグッズを利用しました。現在はベビーモニターという映像で見守れるグッズもありますね。これらを使えば、別室にいても安心です。

乳児のときから別室で寝かしつけていると、一人で就寝する習慣が身につくので、成長してからもスムーズに、夜はベッドに行って眠ってくれるようになります。

夫婦で「ママ」「パパ」とは呼ばない

ドイツでは、子どもが小さくても夫婦の時間を大切にします。ドイツ人夫婦が、お互いを「ママ」「パパ」と呼んでいるのを一度も聞いたことがありません。子どもが生まれる前から呼び合っている名前やニックネーム、あるいは「Schatz（シャッツ／宝物）」と呼んだりしています。子どもが生まれても、夫婦の関係はそのまま変わることはないのです。

日本では、子どもが生まれたとたん、子どもが最優先となり、夫婦間での呼び名が変わってしまうことが多いと思います。ドイツでも子どもはもちろん大事ですが、だからと言って夫婦の時間がなくなったり、二人の関係が変わったりすることを良しとはしないのです。

そのため、ドイツ人夫婦の家では、ベビーシッターを頼むことがよくあります。子どもの年齢は乳幼児でも小学生でも関係ありません。夕方に夫婦二人で出かけ、コンサートに行ったり、映画を観たり、食事に行ったりと、〝子ども抜き〟の時間を持つのです。お金を払ってでも、二人の楽しい時間を作ることを大切にしています。

子どもが中学を卒業するくらいの年齢になると、家庭によっては、子どもは留守番をして、夫婦だけで小旅行をすることもあります。

無理して親を演じる必要はない

ドイツ人がこのように子どもと接するのは、「子どもと親は別人格である」という当たり前の考え方が根づいているからです。子どもが生まれても、親の生活や楽しみや人生は尊重されるべきであり、無理をして親を演じる必要などない、と思っています。演じるまでもなく子どもは愛らしい存在で、自然に湧き上がってくる愛情で大切に育てれば、それだけで十分なのです。

子どものほうも、幼いころから一人でベッドで眠ったり、親が二人で出かけたりするような環境で育つと、「自立心」が育まれていきます。「自分は一人でできる」という小さな成功体験の積み重ねが、その後の自己肯定感の形成に大きな影響を与えていくのです。

日本では、子どもに過干渉し、子どもを思いどおりに支配しようとする、俗に「毒親《どくおや》」という存在が問題になっているとも聞きます。ドイツでは、日本に比べて毒親はさほど話題になりません。親も子どもも、お互いに自立した関係を築けているからだと思います。

子は親を見て育つ、と言います。子どもにとって、親は最初に接する大人です。親の言動や感情を、子どもは無意識にコピーしていくとも言われています。親の自己肯定感が低いと、子どももまた自分を否定するような考え方を身につけてしまいかねません。

だからこそ親は、子育て中も、「自分の人生」を生きることが大切なのです。

「他人に迷惑をかけるな」と注意はしない

ドイツ家庭の子育てを見ていると、日本の躾ほど厳しくはないとよく感じました。たとえば、公園で遊ばせていても、いちいちお母さんがそばでピッタリとくっついていることはあまりなく、子ども同士で自由に遊ばせています。すべり台から落ちるとか、ひどいケガをしない限り、放ったらかしています。子どもたちは、雨の日にわざと水溜まりに入って泥んこになったり、木登りをしたりと、かなりワイルドに遊んでいます。秋に、子どもたちが、かき集めた木の葉の中に突進して思いきり葉っぱだらけになっても、お母さんたちは微笑んでいるだけです。

日本では「電車やバスでは静かにしなさい」「幼稚園で大騒ぎするのはやめなさい」「挨拶をしなさい」「礼儀正しくしなさい」など、大人が子どもに強いる教育が一般的です。

でも、ドイツで子育てしてみると、そうした注意をすることがかえって、子どもが自分で考え、自分で感じて、自分で選択して行動する機会を奪っているように思えてなりません。このことが、子どもが成長してからも、自分の意見を持って、意思決定し、主張するのが苦手になってしまう大きな原因となるのではないでしょうか。

〝上からダメ出し〟しない

私は昔、日本で働いていたころ、上司から「上に馬鹿がつく真面目」と皮肉られたことがあります。たしかに、小さいころから学校や先生、親の言うことをしっかりと聞いて真面目に過ごしてきました。しかし、真面目さが度を越して、何事にも挑戦できない、常に他人の評価を気にする、いわゆる「他人の人生」を歩むようになってしまっていました。

そんな自分の生き方を、第1章でも書いたように、私はドイツでがんになってからようやく見つめ直しました。そして自分の子育てでも、親や先生の「束縛する言葉」によって、子どもに他人の目を気にする思考習慣を植え付けるのはやめようと思ったのです。

それでも、ドイツに暮らし始めたからといって、私がすぐにドイツ流の子育てができたわけではありません。

長男が小さいころには、「手が汚くなっちゃうよ」とか、「危ないッ！」などと先回りし

バスルームでいたずらをしてご満悦の長女の日菜乃ちゃん。

て心配し、自分の都合で子どもの遊びをやめさせることが多かったと記憶しています。

彼は大人になった今でも、手が汚れたりすることに神経質になってしまいました。他のドイツの子どもたちのように、もっと自由にさせてあげればよかったと後悔しています。

しかし二人目の長女のときには、小うるさいことを言わずに、ドイツ人家庭のように自由にさせていたら、バスルームでいたずらをして全身クリームを塗っていたり、髪をチョキッと切っていたり、かなり面白い場面に遭遇しました。今では、のびのびと育ってくれたことが嬉しいです。

ドイツでは、相手に対して挨拶やお礼を言うよう、親が子どもに無理強いするのも見たことがありません。親や周囲の大人たちが挨拶やお礼を言っていれば、子どもたちはそれを見て自然と身につけていくのです。「これをしてはいけない」「あれをしてはいけない」、あるいは「これをしなさい」という言い方は、ケガや危険な行為につながるとき以外は、まず使われません。そういうところは、日本の躾とは大きく異なっていました。

また、「他人に迷惑をかけるから」というフレーズを使って、子どもに注意することもありませんでした。日本では頻繁に使われている言葉だと思います。

たとえば、歩行者は歩道を歩かなければいけないというルールがあって、子どもがそれを守っていないときは、「自分がケガをしてしまうからやめなさい」と注意をします。車や自転車に迷惑をかけるという表現をしません。他者を優先する物言いはしないのです。

そして、子どもがやったことに対して、親が良いか悪いかという判断をするのではなく、どうしてそのようにしたのかを聞いたり、説明させたりすることで、必ず子どもの気持ちを優先します。人に危害を加えたり、子どもに危険が差し迫ったりしていない限り、親や大人は、決して上から「ダメ出し」をしないのです。

「掃除機の音」はNGでも「子どもの声」はOK

そもそも、ドイツでは子どもは社会的に優遇される立場にあります。

たとえばドイツには、「Ruhezeit（ルーウェツァイト／静かにする時間）」という規則があります。地域や住居により若干異なりますが、昼の13時から15時、22時から早朝6時まででは、掃除機の音や騒音を出さないように注意する規則です。しかし、子どもや乳児の声は例外として許されています。園児の遊ぶ声がうるさいと幼稚園にクレームが入る日本とは大違いです。

エレベーターや電車に乗る際も、役所や病院の行列で並んでいるときも、小さな子ども連れは優先されます。子どもと一緒に肉屋に行けば、子どもは無料のハムを必ずと言っていいほどもらえます。ドイツでは、あちらこちらで子どもはＶＩＰ扱いなのです。

こういった社会的な面からも、子どもを「規制」や「束縛」によって締めつけるのではなく、のびのびと自由に育てようとするドイツ全体の考えが見て取れます。

日本では、公共の乗り物に乗る際にも、人ごみに乳児を連れていくにも、声を出さないように、泣かないようにまわりに気を遣わなければなりません。ベビーカーを電車に乗せたお母さんが肩身の狭い思いをしていると聞くと、ドイツとは真逆で信じがたい思いです。

生きづらさやストレスを感じ、苦しい思いを抱えている方々は、もしかしたら、小さいころから親や先生の言いつけをしっかり守ってきた真面目な人なのではないでしょうか。それが現在に至るまで続き、自分で自分を縛ってしまっているのではないでしょうか。

まわりの目や評価を気にしてしまう思考習慣を、すぐに変えるのは難しいかもしれません。でも、そんな縛りは絶対に変わることのないルールではない、という「気づき」さえ得られれば、少しずつでも、自分のことを自分で肯定できるようになってくるはずです。

私自身がそうでした。私にもできたのだから、あなたにだってきっとできるはずです。

自分のことを、もっともっと肯定してあげましょう。自分の思いを押し殺さず、「他人の迷惑」なんて気にしないで、あなたのやりたいことをやりたいようにしてみましょう。

子育て中の方も、子どもたちがのびのびと育つように、「他人に迷惑をかけるから」の言葉を封印してみてはいかがでしょうか。

子育ては「みんなで」する

私の夫は、ドイツ北部のベルリンよりも、さらに北部の田舎の出身です。そのため、私たちが暮らしていた南ドイツのミュンヘン近郊には、家族や親戚は誰も住んでいませんでした。もちろん私の家族は日本にいます。だから、ちょっと困ったからといって、赤ちゃんを預けたり、育児を手伝ってもらったりすることはできない環境でした。

でも、最初に住んだマンションには、同じ階に3家族が住んでいて、同じ年生まれの乳幼児がそれぞれにいました。そのため、幸運にも私たちは、すぐに仲良くなることができました。日本でいう「ママ友」ですね。

ある日、突然家のドアベルが鳴ったので出てみると、隣のシュタインさんが当時1歳半のリサちゃんを抱えて立っていました。彼女はどうしても用事があり、すぐに出かけなければならないとのこと。そして、オムツの入ったカバンを、リサちゃんと一緒に私に差し出してきました。「いやいや。いくら仲良くなっても大事なお子さんを突然預かるなんて……」と思ったのですが、切羽詰まった様子に断ることもできず、リサちゃんを預かりました。

長男と一緒に遊ばせていると、なんとなく、あの臭いが漂ってきます。オムツ交換が必要なのでした。まさか、なんの準備もなく、隣のお子さんのオムツを交換することになるとは……。きれいにしてあげると、リサちゃんはすっきりしてニコニコしていました。

その後も、3家族はお互い様で、子どもを預けたり預かったりと、子育ての苦労を分かち合いながら、助け合って子育てをすることができました。近くに頼れる家族がいなかった私は、この方たちの存在が本当にありがたかったものです。

子育てを助け合うのは当たり前

数年後、隣町に引っ越しをしました。こちらでも、ご近所には大きい子どもから乳幼児まで、にぎやかに暮らしていました。

わが家には長女も生まれ、小学生と乳児のいる家庭になりました。小学1年生になった長男の保護者会には夫婦で参加するのがわが家の決め事でしたので、夕方に行なわれる会に出ようと思うと、どうしても赤ちゃん連れになってしまいます。すると、たまたま向かいに住んでいるヤスミンさんが、「いつでも赤ちゃんを預かるわよ」と言ってくれたので、同年齢のデイビッドくんと一緒に長女を預かってもらうことがよくありました。

このようにドイツには、子どもを預けたり預かったりを、気がねなくできるご近所付き合いが、今も残っています。お礼にプレゼントをしたりするような遠慮や気遣いは一切必要ありません。同じ地域で暮らしている大切な子どもは、お互いに助け合いながら育てるのが、ごく当然のことだと思っているからです。昭和時代の日本にもそんな風潮はあったように思いますが、ドイツは今もそれが続いています。

お互いが自然に助け合える関係は、子育てに必死になっているママたちにとって、ストレスを減らせ、大きな助けになっていました。

ご近所さん以外にも、ベビースクール、幼稚園、学校などで知り合ったママ友たちとも助け合いの輪はあります。習い事の送迎を交代でしたり、野暮用があればママ友の家にいさせてもらうなど、お互いに頼り合える関係性は、生活していくうえで何より大切だと感じています。

子育て中の家庭では、時間的にも精神的にも負荷がかかります。特に子どもと過ごすことが多いママは、多くのストレスを抱えることもあります。私の場合は、家族がまったくまわりにいなかったのと、異国での初めての育児ということもあったので、不安になることが多々ありました。当時は今のように携帯で簡単に日本へ連絡ができなかったので、もしご近所やまわりの方の助けがなかったら、育児に行き詰まっていたかもしれません。

子どもの健やかな成長に大切なのは、子どもと一緒にいるお母さんが元気でいること、そして心に余裕があることです。お母さんが元気がなくて心が不安定だと、子どもも安心して暮らすことができません。自分の存在を否定することにもつながってしまいます。

理想は、夫婦が互いに支え合って楽しく育児をすることです。そのためにも、お母さんやお父さんは一人で抱え込まずに、できる限り家族、友人、知人、ご近所さんと共にお互い様の関係を持ち、助け合うことが大切です。

そうしたことに気づかせてくれたのも、ドイツでの子育てでした。

日本とドイツの幼稚園を比べてみると

ドイツには、生後10か月から入園できる保育園「Krippe（クリッペ）」と、3歳から就学までの幼稚園「Kindergarten（キンダーガルテン）」があります。

地域によって差はありますが、共働きの夫婦が多いので、1歳から預けたいという家庭が多く、日本と同様にクリッペの入園は厳しい状況です。やはり保育士の数が足りていないため、受け入れる園児数に限りがあるからです。妊娠中から申し込みをしても、すぐには回答が来ないので、もし入園ができなかったら、ベビーシッター「Tagesmutter（ターゲスムッター）」を個人で探し、就業時間中はベビーシッターさんの家で預かってもらうようにする人もいます。

遊びもケンカも子どもの自由

ドイツの幼稚園は大きく分けると、公立の幼稚園、教会系が運営する幼稚園、シュタイナー教育やモンテッソーリ教育の幼稚園のほか、私立の幼稚園もあります。いずれも、3学年が一緒のクラスになる「縦割りクラス（異年齢の子どもが同じクラスになる形式）」で運営されています。

私の長男は、3歳から普通の公立の幼稚園に入園しました。初めての幼稚園でまずビックリしたのは、制服も帽子もなければ、名札や指定のカバンなどがまったくなかったことです。また、3歳から6歳の就学前の園児が同じクラスで過ごすことにも驚きました。

最初の登園では、まず1時間の慣らし保育から始まりました。日本と同様に、保育園を経験していない園児のために、短い時間から始めて徐々に保育時間を延ばしていきます。幸い長男は泣くこともなく、あっという間に幼稚園に慣れ、13時までの5時間保育で3年間通いました。1クラスの最大人数は25人でした。

長男が5歳のときに日本に一時帰国した際、日本の幼稚園に体験入園をしたことがあります。わずか2週間の体験入園でしたが、親子ともに驚きと感動の連続でした。

年齢によるクラス分けがされ、先生の目は行き届いていて、園児は安全安心に楽しく過ごせます。毎日カリキュラムが整えられ、一緒に歌を歌ったり、外で遊んだり、お絵描き

キンダーガルテンの砂場。子どもたちは自由にのびのびと遊ぶ。

をしたりと、子どもは充実した時間を過ごせます。一緒にお昼ご飯を食べて、手を洗い、きちんと挨拶をするなど、集団生活を送るうえで大切なことも教えてもらえます。

一方、ドイツの幼稚園では、決められたカリキュラムはなく、園児は登園したら一人ひとりが自由に、好きなおもちゃで遊んだり、お絵描きしたり、絵本を読んだり、外を走り回ったりしています。つまり、子どもの自主性を重んじるのが教育方針なのです。

だからと言って放任主義ではなく、先生は遠目で見守っているという姿勢です。

時には、ケンカも起こります。ドイツには子どもに我慢をさせるという躾はないので、時には感情的になり、激しいケンカになることもあります。そんなときは、先生がケンカをした理由を双方に聞き、それぞれが自分の言葉で話すように促すのです。

園児も「年下」の面倒を見る

ドイツの幼稚園では、自由に遊ぶことがほとんどですが、季節によっては木の実を使った工作をしたり、絵を描いたりもします。それでも、全員が同じように強制的にやらされたりはしません。興味のない子どもは、自分の好きなことをしていても構わないのです。

日本の幼稚園には教育（平仮名や算数などの基礎を学べる）があり、子どもたちもいろいろなことにチャレンジでき、先生も行き届いた指導をしていて素晴らしいと思います。

しかし、批判を恐れずに言うと、どちらかというと子どもは受け身になり、自分の意思を表現しにくい環境のように見えました。ドイツの幼稚園の良いところは、子ども同士が交流し、それぞれの自由意思で、好きな遊びができることです。

また、年上の園児が、困っている年下の園児を助けて教えてあげる、という場面もよくあります。大人の手を借りずに、子どもだけで問題を解決していくことで、自立心や自主性が育まれていきます。自分よりも小さな子や弱い子と同じ時間を共有していくと、自然と人間らしい思いやりの心も芽生えてくるのです。

お兄さんやお姉さん、妹や弟のような存在と一緒に生活するという経験は、このころまだ兄弟がいなかった長男にとって、将来の社会性を身につける基盤になったように見えました。

シュタイナー教育でも「自主性」を重視

長女が入園したのは、公立でありながらシュタイナー教育のポリシーを取り入れている幼稚園でした。シュタイナー教育とは、哲学者のルドルフ・シュタイナーが提唱し、「一人ひとりの個性を尊重して個人の能力を引き出す教育法」で、世界中に広まっています。

シュタイナー教育では、子どもたちが安心して過ごせるように、自然素材を使った環境づくりを重視しています。長女が通った幼稚園も、玩具や園内の施設はできるだけ自然の素材が使われていました。

クラス分けはもちろん縦割りです。小さい園児は、年上の園児が助けてくれます。子どもの自主性を重んじて、子どもがしたい遊びをさせることにも違いはありませんでした。

長男の幼稚園との違いを挙げるとすれば、おやつや食事を園児が自ら作って食べるなど、より自主性を育む教育だったことです。また、雨の日でも雪の日でも近くの小さな森に行って遊ぶなど、自然に接することが多い教育でした。


和の精神や協調性、そして勉強の基礎を学べる日本の幼稚園は、ドイツの幼稚園にはない素晴らしさがあります。それに加えて、子どもたちの自主性を育てる取り組みを増やしていけば、鬼に金棒だと思います。ドイツのように縦割りクラスにすれば、助け合う心が育まれ、自分軸を持った頼もしい大人に成長できるのではと私は期待しています。

ドイツと日本、どちらが良い悪いではなく、双方の良いところを柔軟に取り入れていくことが大切ではないでしょうか。

誕生パーティは子ども自身が企画する

ドイツでは、自分の誕生日を自分が盛大にお祝いすることをすでにご紹介しましたが、それは子どものころから始まっています。幼稚園に入って、自分の意思をはっきり言えるようになると、両親はどんな誕生日のお祝いにしたいのか、子どもに意見を聞いて、パーティを開催します。

長男の友だちのカルビンくんは、6歳のお誕生日に、「海賊」をテーマに誕生パーティを開きました。事前に手描きの海賊の絵の招待状が送られてきて、どんなパーティになるのか長男と一緒にワクワクしました。招待された子どもの人数は、年齢と同じ6人。招待された子どもの親同士は、プレゼントに何を贈るか相談を始めます。このときは、カルビンくんがほしいプレゼントをお父さんから聞いていたので、レゴの海賊船をみんなでプレゼントしました（招待客それぞれがプレゼントを購入する場合もあります）。

カルビンくんは、1年に1度きりの誕生日を、自分の理想どおりのものにするために準備をします。お父さんに協力してもらい、魚を捕る網を壁に貼り、船のいかりを段ボールで作り、南の島の雰囲気の空とヤシの木を大きく描いた紙も貼っていました。当日、お母さんが焼いたケーキは、黒地にドクロの絵の旗が6本立ててあり、サメの飾りなど海や海賊のデコレーションがしてありました。すべてカルビンくんがアイデアを出したものです。

招待された子どもたちには、顔にひげを描いて、シマシマのシャツを着ている子もいれば、海賊船長の帽子をかぶって腰におもちゃのピストルをした子もいます。ジャック・スパロウのように凝った衣装とメイクをしているのは、もちろんカルビンくん本人。カルビンくんのお父さんまで海賊の子分風の出で立ちをしていて、微笑ましい光景でした。

乾杯してケーキやお菓子を食べた後は、カルビンくんが描いた宝の地図を使って、宝探しのイベントが始まります。これが大盛り上がり。カルビンくんも、招待された子どもたちも思いきり楽しみ、一生の思い出になったようです。

人気は「お姫様」パーティ

女子に人気なのが、自分がお姫様や人魚になるパーティです。

お金持ちの子どもの中には、お母さんやお父さんにおねだりして、ポニーを自宅に連れてきてもらっている子もいました。招待された子たちは、乗馬ができて大喜びです。マジシャンを家に呼んで、目の前でマジックを見られる豪華な誕生日もありました。

長女の友だちは動物が大好きなので、近くの大きな農家で誕生パーティを企画しました。農場の牛や豚、鶏、ひよこなどと触れ合い、長女は有精卵をプレゼントにもらって帰ってきました。その後3日間ほど、長女は卵を大事そうに温めていました。結局、猫に卵を転がされて、卵は壊れてしまい、大泣きしたというオチがありました。

このようにドイツの子どもたちの誕生パーティは、子どもたち自身が企画し、親の協力を得ながら準備し、きちんと予定を組んで進められていきます。

子どもの意思で企画された、家族を巻き込んでのパーティは、自分が楽しめ、考える力もつき、自主性も育め、おまけに友だちまで喜べる、みんなが幸せになれるイベントです。

親と子どもの信頼感や絆を深めるためにも、誕生日は絶好の機会となっています。

誕生パーティ一つとっても、ドイツの教育が子どもを受け身にさせず、自主性や個性を重んじていることがよくわかると思います。

小学1年生から「留年」もある

長男と一緒に幼稚園を卒園して、同じ小学校へ入学した3人のうちの1人、ジャスティンくんは一つ年上でした。ジャスティンくんは、幼稚園に1年長く通園していたからです。ドイツで小学校へ入学するには、「入学適正検査」を受けなければなりません。これは、小児科医が発育状態を見るもので、入学して「勉強する」環境に対応できるか、身体的・精神的側面の両方をチェックするのです。

もし、小学校へ行くのにはまだ早いと判断された場合、授業時間が短く少人数制の入学準備学校（クラス）を勧められます。この検査で入学が1年遅れたとしても、保護者の受け止め方は、決してネガティブではありません。むしろ、早く入学して授業についていけないよりは、準備が整ったタイミングで入学するほうが良いと考えます。

そのため、小学校の入学時に年齢が上の生徒がいるのは珍しいことではありません。ドイツでは、子ども一人ひとりの発達状態や学習テンポを重視しているのです。

逆に「飛び級」もある

入学した後も、年2回出る成績表の結果により、なんと小学1年生から留年があります。成績や子どもの能力について先生と保護者が面談し、相談のうえで留年が決定します。しかし、留年もネガティブな意味合いではなく、授業についていけないのなら無理して進級するのではなく、その子に合ったペースで確実に学習させるための仕組みなのです。

ご近所のユリアちゃんは、長女と一緒に小学校へ入学しましたが、小学1年生を留年したものの、しっかりと小学校を卒業しました。ご両親は、ユリアちゃんが1年生を繰り返して学んだことは、「正解だった。精神的にも無理せずに、勉強の基礎をしっかりと学べたのは本当に良かった」と話していました。

その逆で、ドイツ語や算数などの能力が高く、授業が簡単すぎると判断された生徒は、期の途中でも上の学年への飛び級もあります。身体的には、1年の差はかなりある場合もあり、スポーツの教科は不利になることもありますが、落第点さえ取らなければそのまま進級していきます。

10歳時の成績で人生の進路が決まる

州により若干違っていますが、一般的には小学校の4年間を終えると、その最終成績によって進路は3つに分かれます。基幹学校（Mittelschule／ミッテルシューレ）、実科学校（Realschule／レアールシューレ）、ギムナジウム（Gymnasium）の3つです。

わが家のあるバイエルン州のシステムを簡単に紹介すると、基幹学校は5年制で、卒業後は職業訓練を受けて働きます。日本の中学卒業に当たります。実科学校は6年制で、卒業後、職業専門学校などを経て、事務職や専門職になるためのルートです。日本でいうと、高校卒業後に専門学校へ進学するコースと言えます。8年制のギムナジウムは、いわゆる大学進学を目指すコースです。

つまり、10歳の時点での成績で、ドイツでは人生の進路が決まってしまうのです。また、途中で進路を変更するのには、よほどの努力が必要となります。あまりに小さいうちに進路が決まってしまうので、私自身、当初このシステムには疑問を感じていました。

しかし、最近は見方が変わってきました。勉強が得意な子や好きな子もいれば、苦手な子や嫌いな子もいるのが現実です。誰もが勉強しなければいけないというプレッシャーを受けながら、中学・高校にあたる時期に大学進学を目指して同じ道を進んでいくことを強制するほうが、当事者である子どもにとっては苦しいことなのではないでしょうか。

勉強が苦手でも、絵が上手だったり、手先が器用だったり、人を笑わせるのが得意だったり、動物が好きだったり、コツコツやる作業が得意だったり、困っている人を助けてあげたり……と、子どもたちには必ず個性があります。ドイツの教育システムだと、手に職をつけて「マイスター」という特別な資格を取得する道もあります。好きな専門分野がある子なら、早い時期からその専門能力を伸ばしていくこともできます。勉強をしてテストでいい点をとることだけでしか評価されないシステムだと、せっかくの子どもたちの長所が見過ごされることになってしまいます。子どものほうも、成績が悪いだけで、「自分は人より劣っている」と自己否定しまう可能性があります。

10歳で人生の進路が決まってしまうことが「残酷」だと感じるのは、大人側の勝手な解釈なのかもしれません。子どもたちが、それぞれの長所を伸ばしていくことが、子どもたちの精神的負担を減らし、のびのびした成長と、ありのままの自分を肯定することを後押しするのではないでしょうか。

もし成績が悪くても……

私の長男はギムナジウムに入学しました。5年生（小学5年生）のクラスは8クラスで、約200人の生徒が進学しました。8年後の12年生（高校3年生）の卒業時には、およそ3分の2の130人に人数が減っていました。8年間で、クラスで毎年、1〜2人の留年あるいは転校があったことになります。

ギムナジウムでは、クラス全員の能力を同じように引き上げようとはしません。成績の良い生徒や授業についていける生徒に合わせてカリキュラムを進めていきます。ついていけない生徒には特別な指導をせず、成績を無理やりに引き上げようともしません。

長男のギムナジウム入学後、私は毎日ハラハラの連続でした。ギムナジウムでは、毎日の授業中の意見や発表、大小のテスト、プレゼンテーションなど、すべての授業態度とテスト結果が、年2回の成績となって表れてきます。

受験がない代わりに、11歳から卒業までの8年間（通常）は毎日が評価の対象です。特に長男は、毎回テストが返ってくるたびに、結果を知るまでドキドキしていました。成績がふるわず、留年か否かを先生と相談したこともありましたが、なんとか進級できました。長男の学校で留年した子どもたちは、たいてい実科学校に転校していきました。

すでに小学4年生の時点で進路を振り分けられているので、親も子どもも、無理せず現実を受け入れていきます。他人と競争する、他人と比較するのではなく、留年や転校を恥じることもなく、その子どもに合った最適な道を見つけていけばいいのです。

一般的にドイツ人は、特に小さなうちは成績が悪くても親は子どもを責めず、いかにその子が納得して能力に合わせて学べるかを考えて支えます。子どもにはそれぞれの長所や能力があり、嫌がりながらする勉強に意味はなく、むしろ逆効果になると考えています。

ちなみに、ドイツを代表する文豪のヘルマン・ヘッセは1回、トーマス・マンは2回留年をしているそうです。

親の希望を押しつけていないか？

ドイツでの教育を親として経験して学んだのは、親の希望を「子どものため」と称して押しつけないように注意すべきだということです。それが本当に子どもの望んでいることなのか、本人の能力以上のものを求めすぎていないか、よく子どもと相談して、子どもに過度のプレッシャーをかけないことが大切だと思います。「ほかの子は頑張っている」「平均より成績が悪い」などと周囲と競争をさせると、思うように成績が伸びなかったとき、子どもたちは深く傷つき、自己肯定感の低下を招いてしまいます。学校に行くのも嫌になってしまうでしょう。

内閣府の「我が国と諸外国の若者の意識に関する調査」(2018年)によると、「あなたは、学校生活に満足していますか」の問いに「満足」「どちらかといえば満足」と答えた日本人は7か国中最下位、ドイツは第1位です。

子どもの能力に合わせた学習環境を整えて、能力以上の強制を課さないドイツの教育システムは、一見残酷に見えながら、「人生は成績がすべてではない」「あなたはあなたのままでいい」ことを幼いころから教えてくれるものでもあります。

子どもも家族もそれを受け入れていることが、ドイツの子どもに自殺が少ない理由の一つかもしれません。

「プレゼン」こそドイツ教育の要

前述したように、ドイツの幼稚園では、先生は遊んでいる子どもたちを遠くから見守り、細かいことまで声がけはしません。最初のころはそれが子どもの教育を放ったらかしているように見えて、なんとなく不安感がありました。

しかし、自分で考え、それを主張し、意見交換することは、欧米のみならず世界中で求められている力です。ドイツでは、小さなころから受け身ではなく、主体的に行動できる人間になれるように教育をしているのです。

そんな幼児教育の中でも、月曜日には「週末に何をしたのか一人ずつ話す」ための時間が設けられていました。家族でどこへ出かけた、おばあちゃんが遊びに来たなど、たくさん話せる子もいれば、まったく話さない子もいます。でも、これを3年間繰り返していくうちに、小学生になったころには、多くの子どもたちが、自分の言葉で主張することができるようになっていくのです。

発表を聞いている側も集中力が必要

幼稚園では自由に遊んでばかりいた子どもたちも、小学校に入ると、いよいよ勉強が始まります。小学校でも、日本の学校教育と違うことが多くありました。その中でも際立っているのが、小学1年生から「プレゼンテーション」の時間があることです。

プレゼンテーションの時間では、先生がテーマを決め、その中から自分が好きなものを選び、自分で調べ、考え、後日その成果を発表し合います。たとえば「虫」というテーマでは、チョウやセミ、ハチなど自分の好きな虫を選んで調べ、絵を描いたり、文章を書いたりして、後日その調査結果を、決められた自分の時間にプレゼンテーションするのです。

「自分で選べる」ことで、調査や発表のモチベーションはグンと上がります。一つの押しつけられたテーマではないのが、児童たちのモチベーションを上げるポイントでしょう。

そして、発表を聞く側の児童たちは、発表後に意見交換をするためにメモをとり、率先して発表の良かった点を話し、自分の感想を述べていきます。発表する側だけでなく、聞く側も集中しなければいけない、という意図を持った授業なのです。

残念ながら、日本の学習発表会のように、保護者が見学できる機会がドイツにはありません。そのため、子どもからの報告でしか知り得ないのですが、自分の発表の評価よりも、発表をやり終えたことに充実感が得られて、自信が持てるようです。

また、個人発表のみならず、グループのプレゼンテーションの課題も多く与えられます。仲間と考え、お互いの意見をまとめて発表する行為は、社会性も育んでいきます。

発言できないのは〝弱い人間〟

前述したように、ドイツでは小学校を4年生で卒業すると、最終成績や本人の希望によって「基幹学校」「実科学校」「ギムナジウム」の3つの進学先に分かれます。

ギムナジウムには、小学5年生のとき入学し、高校3年生で卒業するまで通います。こちらに入学すると、毎日コツコツ勉強しなければなりません。小さい試験、大きい試験、宿題や授業中の発表などすべてを総合して、年2回成績として評価されます。

ギムナジウムでも、教科別にプレゼンテーションの課題があります。ドイツの教育方針においては、たくさん発言をした生徒ほど評価が上がっていきます。一方、発言できないと〝自分の意見が言えない弱い人間〟と決めつけられてしまうので、意見が正しいか正しくないかにかかわらず、とにかく発言できるようになる必要があります。

ギムナジウムに上がると、手書きだった発表も、パソコンを利用した質の高いものになっていきます。テーマも単純なものから、環境問題や人種差別問題、動物愛護などなど、世界全体に関わる、将来につながっていく問題を取り上げ、難しいテーマになっていきます。プレゼンテーションの方法は、一人または二人のスタイルが多く、学校にいる時間内だけではなく、放課後あるいは週末を使って準備をしていきます。

また、限られた時間内でいかに他の生徒にわかりやすく、納得してもらえるか、主張もしっかりしたものでなければいけません。プレゼンテーション後に他の生徒による質問や反対意見にどのように対応し、説得していけるかも考えなければなりません。プレゼンテーションの課題は、まさにドイツの教育の基盤になっていると実感します。

自己肯定感を高める効果も

主張をしていくこと、相手の意見に左右されないことなど、繰り返し練習していれば、精神的にも強くなり、人の意見を鵜呑みにすることもありません。

　こうして大学に進んで社会人となったドイツ人は、子どものときから自主的に考え、自分の意見を持ち、相手に伝え、意見を交わす経験を積んでいるので、世界のいかなる場や会議でも、物怖《ものお》じすることなく堂々と自信を持って意見を主張できるのです。

「自分で考える」「考えを主張する」ことに慣れていくと、自然と自分に自信が持てるようになれます。それが、自己肯定感の高さにつながっているのです。

　最近は日本でも、世界で活躍できる人材を育てるべく、自分の考えを発表する機会を増やすなど、学校のカリキュラムもどんどん変わっていると聞いています。

　日本人が、ドイツ人ぐらい図々しくなるのがいいかどうかわかりませんが、同じ土俵で議論ができる社会人がたくさん育っていき、自己肯定感の高い日本の人たちが活躍していくことを期待しています。

　まわりの評価や他人の目を気にしない強い心と自信を持ち、自己否定へと自分を追い込まない精神力を身につけてほしいと願ってやみません。

家事よりも子どもとの時間を優先する

長女が3歳になり幼稚園への入園が決まると、私は外に出て働くようになりました。どこの国でも同じだと思いますが、働きながら家事や育児をこなすのは大変なことです。幼稚園に通う長女の送迎、小学生の長男が習っていたサッカーの送迎、その合間を縫って宿題をやらせたり、夕飯の支度をしたりと、やはり負担は大きいものでした。

できるかぎり、子どもとの時間を持つことを優先させようと、買い物、洗濯、掃除は金曜か木曜の夕方に、買い物は月曜の夕方と土曜の朝に行くことに決めました。

残業がほとんどない夫は17時には必ず家にいるので、子どもの宿題を見てもらい、夫婦ともに家にいる時間は子どもと対話を持つように心がけました。

週末は、仕事も学校もお休みです。ドイツの学校は金曜日には宿題を出しません。そして週明けの月曜日にはテストもないので、週末はゆっくり休むことができます。すると、子どものころから、オン・オフがしっかりと身につきます。

サッカーをやる子は土日にゲームが行なわれるので家族ぐるみで応援です。週末に何も予定がなければ、サイクリングやハイキング、散歩、湖へのドライブなど家族の時間を過ごすことが優先です。高校卒業までは家族で仲良く旅行をしたりする家庭は多くあります。

忙しいときは家事を「外注」

家族と絆を深める時間を確保するために、ドイツの大人は勤務時間内に集中して働き、子どもも平日に集中して勉強します。そのため、家事や育児の負担が大きくて、思うように家族との時間が作れない場合は、家事を外注することも少なくありません。

長女の小学校の同窓生のマーヤちゃんのご両親も共働きでした。奥さんが転職してフルタイマーになり、さらにマーヤちゃんが体調を崩して育児や看病に時間がかかるようになったのを機に、家族で相談し、週2回家の掃除を清掃婦さんに依頼するようになりました。

ドイツには、安価で掃除を頼める会社があり、一般家庭でもそれぞれの事情により、家の清掃を依頼することが多いのです。

また、オペアを利用している家も少なくありません。オペアとは、語学留学を目的とした外国人が、ベビーシッターをしながらその家に滞在するシステムのことです。前出のターゲスムッターは子どもをその人の自宅で一時的に預かってもらうのに対し、オペアのベビーシッターは「住み込みの外国人」である点に違いがあります。オペアの場合はドイツ語を学びながら住み込みで働き、生活費や滞在費はホストファミリーが負担してくれます。お小遣いが月に260ユーロ（約3万3000円）までもらえて、休暇も1年間に4週間ほどもらえます。

たとえば、知人のシモーネ家は、ご主人が中学校の先生、シモーネさんは自営業で出張もある家庭です。子どもは4人いて、3人目の子どもを出産したときから日本人のオペアを依頼していました。日本人が真面目なことと、日本の文化や日本語に関心を持っていたため、日本人を指名していたのです。1年間のオペア期間が終わると、次の人を探し、結局3人の日本人女性をオペアとして受け入れていました。

親のストレスは子どもに伝わる

ドイツの主婦たちは、オペアに学校や幼稚園の送り迎えや昼食の支度を頼み、そのぶん子どもたちと遊んだり宿題の時間を一緒に過ごしたりするようにしています。

無理をして完璧な親を目指そうとせず、人に任せられることは任せて、家政婦やオペアのシステムも取り入れ、ストレスのない育児をする。子ども（家族）との時間を優先するという考えは、ドイツでは珍しいことではありません。

時間に追われ、ストレスを抱えたまま育児をするのは、親自身の負担になると同時に、子どもにも親のイライラが伝わって、悪い影響を与えてしまいます。子どもの感受性は鋭いものです。自分の存在が親に迷惑をかけていると感じると、知らず知らずのうちに自己肯定感が下がってしまう原因にもなります。

それを避けるためにも、両親はできるかぎり、子どもと触れ合う時間をとって、子どもの話に真摯《しんし》に耳を傾け、「あなたのことを大事にしている」ことを伝えなければなりません。

毎日家事や育児に追われている方は、できる範囲で、部分的に家事を外注したり、あるいはベビーシッターに頼んだりすることで、家族の時間を持てるように工夫してみてはいかがでしょうか。家族みんなが心にゆとりのある生活をすることで、子どもも安心して、のびのびと成長していくと思います。

第4章 【生活スタイル】

ドイツ人は「昭和の日本人」に似ている

ドイツ人の生活満足度が高い理由

プロローグでも紹介しましたが、ドイツ人の生活満足度は日本人に比べて高い、という調査結果があります。「自分の生活に非常に満足している」もしくは「かなり満足している」と答えたドイツ人の比率は、実に93パーセントに及んでいるのです。

その理由の一つは、ドイツ人はワーク・ライフ・バランスがとれているからだと思います。日々の生活に「時間のゆとり」があるから、生活の満足度も高くなるのです。

2018年にドイツの連邦統計局が発表した調査によると、ドイツの就業者のうち90・7パーセントが「現在の労働時間に満足している」と回答しました。

一方、日本人は、独立行政法人経済産業研究所の調査によると、労働時間に「満足している」「どちらかといえば満足している」と答えたのは、男性で37・9パーセント、女性で47・1パーセントに留まっています。

「時間のゆとり」と「生活満足度」の関連性は大きいと考えられそうです。

また、長くドイツで暮らしていると、ドイツ人がなぜ満足度の高い生活を送れているのか、だんだんわかってきました。

時間にゆとりがあり、ワーク・ライフ・バランスがとれていることに加えて、ドイツ人は、まるで「古き良き昭和の日本人」のような生き方をしているのです。

ここでいう「昭和」とは、バブル時代に24時間働いていたような姿ではなく、経済的にはまだ貧しくても、互いに助け合う地域社会が十分に機能していたころの「昭和」です。当時の「昭和」のように、ドイツでは今も「ご近所で助け合う」「物を大切にする」「手作りをする」「困っている人に親切にする」などの生活文化が息づいています。

私はこのことが、ドイツ人の生活満足度を高くしている一因だと感じています。

自分を肯定＝他人の権利や存在も肯定

自己肯定感が高く、他人に振り回されないドイツ人が、「ご近所で助け合う」あるいは「困っている人に親切にする」と聞くと、矛盾を感じる人がいるかもしれません。

ここがポイントです。自己肯定感が高いことと、他人に親切にすることとは、矛盾するどころか、イコールで結ばれることなのです。

自己肯定感が高いとは、いわゆる「自己チュー」ということではありません。自分の権利や自分の存在そのものを肯定できる人は、他人の権利や他人の存在をも肯定できます。つまり、ドイツ人は、誰に対しても平等に接することができるのです。すると、周囲の目を気にすることなく、自然な気持ちで助け合ったり、親切にしたりすることができるようになります。

私はドイツでの生活で、そんなシーンを毎日のように目の当たりにしています。

この章では、まるで「昭和の日本人」のように、素朴で、シンプルで、自然に生きているドイツ人の姿を紹介していきましょう。

私たち日本人が忙《せわ》しない毎日の中で忘れてしまっていた「豊かに生きるためのコツ」が、そこから見えてくるはずです。

毎日「小さな親切」を重ねる

コロナ・パンデミックが起こり、ドイツでも外出制限が長く続きました。それでも、家や庭を大事にするドイツ人は、家に長くいられるこの機会を利用して、旅行に行く代わりに、自宅の修理やリフォームにお金を費やす家庭が増えたといいます。

わが家も自粛期間中、庭に小屋を作ることにしました。物置にするための木の小屋です。すべての材料を注文し、組み立ては自分で行ないます。

このときも、「ご近所さんの親切」に助けられました。ある週末、夫は届いた材料と説明書を見ながら一人で作業を始めました。庭で木材に釘を打っていると、どこからか、近所の方がやってきて、「大変そうだから手伝うよ」との嬉しい申し出があります。

二人で作業を進めていると、偶然通りかかった別の「ご近所さん」も参戦。結局、気がつけば、三人体制でわが家の小屋作りは進められました。

おかげ様で予定よりも早く、立派な小屋ができあがりました。こちらから頼んだわけでもなく、あちらも見返りを求めているわけでもない、このような近所の方との助け合いは頻繁にあります。

隣近所で助け合うのは「当然」

冬の雪のシーズンには、次のようなこともありました。

わが家の近所には、1960年代に入居したお年寄りがたくさん住んでいます。子どもたちはすでに独立し、なかにはカナダやアメリカなどに移住した人もおり、なかなか帰省の機会はないようです。そんな力仕事の手がない家庭が特に困ってしまうのは、冬の雪かきです。

南ドイツのミュンヘン近郊では、ときおり多くの積雪があり、一晩で30センチくらい積もることがあります。私の住んでいる地区では、玄関前の道と、担当として割り当てられた道路の雪かきをしなければいけない取り決めがあります。雪かきを怠り、もし通行人が滑ってケガをした場合は、そこを担当した住人は、全面的な責任を負う必要があるのです。

でも、雪かきはお年寄りには重労働です。どうしているのかなと思ったら、いつの間にか、誰かが自発的に自分の家の前や担当の通りだけではなく、お年寄りの住む家の前も雪かきをしていました。今は私もできるかぎり、お手伝いするようにしています。

特に取り決めでそうしているわけではなく、お礼があってもなくても、お互い様の精神で、やれる人がやるという気楽なスタンスで行なっています。すると、誰かしらがGlühwein（グルゥーヴァイン／ホットワイン）をふるまって、一緒に輪になって楽しい雑談をするなど、重労働の合間にご近所さんとの交流もできてしまうのです。

私の家では猫を2匹飼っています。1年に一度は休暇で最低でも3週間は旅行に出かけるのですが、そのときに困るのは、猫の餌とトイレ掃除です。そこでいつも助けてくれるのは、お隣のバルトラウトさん。事前に日程を伝えて彼女の都合を確認すると、たいていすぐ了解してくれます。毎日2回の餌、水やり、トイレ掃除をして、ときおり猫の様子を写真で送ってくれることもあります。お金のやりとりはなく、普段のお付き合いの延長で、引き受けてくれるのです。逆に、バルトラウトさんから頼み事をされれば、私も快く引き受けます。

宅配便の受け取りでも、ドイツはいまだ昭和時代ののようなのどかさがあります。配達先が留守の場合、日本では不在票が入っていて再配達が必要となりますが、ドイツは隣の家に預かってもらうのが普通です。両隣が不在の場合は、3、4軒先の家に預かってもらうこともあります。依頼された家も、当然のこととして預かってくれます。

コロナで自粛生活中は、世界中で通販の利用が増えました。それに伴い、日本では玄関先に鍵のかかる宅配ボックスを設置する家庭が増えたそうですね。日本の特に都市部では、お隣さんの顔を知らない人もいるくらいですから、宅配便をお隣に預かってもらうなんてとてもできないですよね。顔見知りでも、抵抗感は強いかと思います。

なぜドイツはそれができているのかというと、やはり普段から近所の人たちと頻繁にコミュニケーションをとり、信頼関係を築いているからでしょう。

見ず知らずの人や外国人にも親切

また、ドイツではたとえ見ず知らずの人でも、親切にしてくれることが多々あります。

たとえば、ベビーカーで乳幼児を連れていると、「耳を隠さないと風邪をひきやすいよ」とか「靴を履かせないと足が冷えるよ」などと、知らない人がアドバイスしてくれたり、行き先のドアを開けておいてくれたりと、どこに行っても助けてくれることが多いのです。老人に席を譲る場面は日常茶飯事ですし、人に手を差し伸べている場面もよく見かけます。

20年以上ドイツで生活していると、この国の人は、知人、他人、外国人にかかわらず、フランクに話しかけてきて、分け隔てなく手を差し伸べてくれるのを肌で感じています。

一方で、日本へ一時帰国してみると、「丁寧で世界で一番優しい」と言われている日本人が、実際は見ず知らずの人には冷たく接しているように感じられます。知人や家族には優しく接するのに、電車の中や街を歩いている人同士は他人行儀で、気軽に声をかけ合うこともありません。海外に住んでいるからこそ、日本の残念な部分が見えてきます。

なぜ、両者には違いがあるのか。その根本的な理由には、やはり「自己肯定感」が関わっているように思います。ドイツ人は自分の意思がはっきりしているため、困っている人がいたら助ける、というシンプルな思考によってすぐに行動を起こすことができます。

一方、自己肯定感が低い傾向にある日本人は、困っている人を助けたい、と同じように自然に思ったとしても、その行動がまわりの目にどう映るかを気にしてしまい、結果として行動に移せない場合があるようです。

人に優しくすれば自分が幸せ

他者に親切にすることを躊躇《ためら》ってしまうのは、自分自身にとっても「もったいないこと」だと思います。人に優しく手を差し伸べると、自分も満足感と幸福感を得られます。他者への親切や思いやりのある行動は、たとえ誰にも感謝されなくても、「自分自身は見ている」のです。他者からの評価に関係なく、人に親切にしたり、優しく手を差し伸べたり、困っている人を助けたりすると、私たちの脳は喜びに溢れるようにできているそうです。

わざわざ脳科学の話を持ち出さなくても、誰かに親切にしたときは、心は軽やかになるものです。そうすることで、無意識に自己肯定感は高まっていくことになります。

小さな親切を重ねることは、コストパフォーマンスしか考えない人にとっては、無駄な行為に思えるかもしれません。しかし、私たちの人生の目的が、「幸せに生きる」ことだとするならば、小さな親切を繰り返すことはこの目的を果たすための最良の道だといえます。それを普段から実践しているのがドイツ人です。私たちも毎日小さな親切を重ねて、自己肯定感を高められたらいいですね。

「ご近所さん」とほどよい距離感で付き合う

ドイツには、コンビニはありません。基本的に小売店は、深夜や早朝、日曜祝日の営業は認められていません。夜の20時過ぎだとお店がすべて閉まっているので、何かが必要なときは、近所の方にお裾分けしてもらいます。つい最近も、パンケーキを作っている途中でミルクがないことに気づき、慌てて近所の方からもらってきました。そうしたことは、ドイツでは普通のご近所付き合いの形です。

卵を貸してあげたらケーキになった

ドイツに移住したばかりのころ住んでいたのは、1フロアごとに3世帯が居住する6階建てのマンション。わが家は、4階の真ん中の部屋でした。

右隣には、ドイツ人夫婦シュタインさんが住んでいました。ある日の夕方、ピンポーンとドアベルが鳴って出ていくと、シュタインさんの奥さんです。「卵を買い忘れたので、貸してもらえませんか」とのこと。キッチンからいそいそと卵を4つほど持ってきて渡しました。

そして翌日の夕方、シュタインさんは4つの卵を返しがてらフルーツの載ったケーキも持ってきてくれました。彼女は、「昨日はありがとう。おかげでケーキを焼くことができたわ」と笑顔で挨拶してくれたのです。卵が戻ってきて、おまけに手作りケーキのプレゼントまでついてくるなんてビックリ。彼女の優しい気持ちと共に、このケーキの中にはお裾分けした卵が入っているのだと思ったら、ほっこりとした温かな気持ちになりました。

マンションの左隣には、離婚したばかりのベッカーさんがお一人で住んでいました（わが家と同じ年齢の子どもがいた世帯の一つは3年で引っ越し、入れ替わりでベッカーさんが入居しました）。仕事を終えた後に開いているお店がなく、買い物にはかなり苦労していたようです。

そのため、わが家のドアベルは頻繁に鳴りました。「バターはありますか？」「パンに載せるハムはないですか？」と聞きにくるのでした。

もちろん、わが家にあるもので良ければと、お裾分けできるものはお渡ししました。返してもらおうなどとは思っていませんが、お返しと一緒にチョコレートがついてきたりして戻ってきました。そんなささやかな心配りが嬉しかったものです。

「ロックダウン」でも交代で買い物

このようなドイツ流のご近所付き合いは、コロナ・パンデミックで外出制限を余儀なくされた高齢者の方の支えにもなっています。

ご近所のゲアートさんは、夫を亡くしたばかりの80歳近い女性で、新型コロナという敵に恐怖を感じていました。いよいよロックダウンが始まり、食料品だけは買いに行けると聞きましたが、免疫力に自信がない彼女は、やはり外出は怖いと話していました。

すると、それを聞きつけた近所の有志が、いつの間にか代わる代わる交代で買い物に行き、ゲアートさんに食品を届けるようになったのです。

困ったときはお互い様の人間関係ができているからこそ、何の報酬がなくとも、このような助け合いが自然に生まれます。そんな人間関係を構築するには、普段から挨拶を交わし、会話をして、それぞれの事情を十分に理解しておく必要があります。

もちろんなかには、近所付き合いをしたがらない家庭もありますが、その場合は、誰も干渉することなく、一定の距離をおき、その関係性を尊重して維持します。

幸いなことに、わが家のご近所さんはお互いに入り込みすぎず、離れすぎずのほどよい距離感を共有し、助け合える良い関係を築けています。ほどよい関係は、毎日生活していくうえでのストレスを減らしてくれます。実家が近くにない私は、遠くの親戚よりも頼りになる人たちです。土足でプライベートに入ってこない、かといって知らないフリもされない、ほどよい距離感の関係は、非常にドイツ的だと思います。

2011年に、福島第一原子力発電所の事故が起きたときには、ご近所さんは私の顔を見るなり、家族の安否をしばらく心配してくれました。なかには私の顔を見ると、涙を流す人さえいました。ただの近所の日本人というだけなのに、同情して、心配をしてくれる温かい方々がたくさんいることが身に沁みました。

親戚よりも優しくてフランク

私は独身時代、東京のマンションに住んでいました。学生時代も就職していたときも、右隣、左隣、上階、下階にどんな人が住んでいたのかまったくわかりませんでした。

また、小さいころに育った埼玉の実家では、ご近所のおばさんやお店屋さんなどは顔見知りで、挨拶は交わしていたものの、物や食材を貸し借りしたり、お茶を飲みに上がったり、自宅に呼ばれたりといった交流はありませんでした。日本では、昭和時代の後半には、すでに今のドイツのような近所付き合いは失われていたのです。

ドイツでの「ご近所さん」は親戚よりも親しく、優しくてフランクにお付き合いができる人たちです。もちろん、居住地区で決められたルールを破ること——たとえば、静かにしなければいけない22時以降にけたたましい騒音を立てたり、決められた場所以外にゴミを捨てたり——などをした場合には、批判や注意があります。

しかし、プライベートには入り込みすぎず、同時に困ったときには支え合える、ほどよい距離感のある近所付き合いは、とても貴重なものです。

ドイツ人の生活満足度が高いのは、近所の人たちとほどよい人間関係を築けていることも、理由の一つだといえるでしょう。

「足るを知る」人々

日本では「ドイツ人は倹約家」というイメージを持たれている方もいるようです。それはきっと、ドイツ人に対して物を大切に扱うというイメージがあるからだと思います。実際、ドイツには昔の物を何年、何十年にもわたって利用している人がたくさんいます。

日本にいると、家電量販店に行くのが楽しくなります。美容用品、健康用品、コンピューター関連、携帯電話、カメラ、工具などなど、ありとあらゆる商品が売られています。しかも、最新商品からアイデア商品、生活の質を高める合理的な商品、楽しさを追求した物や、きれいで可愛い物などヴァリエーションが豊富です。そんな消費をしたくなる店が多い日本を離れ、ドイツに戻って店に入ると、まずヴァリエーションの少なさに驚きます。目新しい物がまったくありません。

電化製品だけではありません。ファッションでも雑貨やコスメや文具でも、日本のキラキラした楽しいショップに比べ、ドイツはどこに行っても地味で品数が少なく感じます。

そのため、買い物をしたい衝動が湧きません。商品の数が少ないから買い物をしないのか、買い物を積極的にしないから品数や商品開発が少ないのか――鶏が先か、卵が先かのような話ですが。

義母は、私の夫からもらったという鍋を今も大切に使っています。すでに35年以上経っているのに、そのホウロウ鍋はいまだにお料理に大活躍です。思い出がありながら、利便性は抜群で、新しく買い替える必要がないそうです。ほかにもお皿や花瓶など、はるか昔に購入した物が彼女の家にはたくさんあり、しっかりと現役で活躍しています。

ブランドバッグを持つのは金持ちだけ

ドイツ人は、新製品が出たからといって、すぐに飛びつき、古い物を処分するということが少ないのです。今あるものが使えて、特に不満がなければ、それで良しとします。すると、新商品の需要がなくなり、製造中止になってしまうことが多々あります。

一般的にドイツ人は物を大切にします。環境への意識が高いため、無駄に消費することを好まないからです。使える物は、壊れるまで大事に使用します。

日本では、高級ブランド品を持っているのはお金持ちの人だけではありません。普通の会社員でも、頑張ってお金を貯めてブランド品を買っている人も多いと思います。

一方、ドイツでは高級ブランドのバッグを気軽に持ち歩くのは、それなりの収入がある人たちだけです。ブランド品や高級品でビシッと決めている人は、限られています。

ドイツ人は、旅行やパーティなど、自分が楽しく過ごすためには自分の収入に見合った額でお金をかけます。収入以上に無理をしてお金を使うことはまれです。まさに「足るを知る」のがドイツ人だといえます。

「買い物でストレス発散」はやめてみる

どうしてドイツ人は、自然と「足るを知る」ことができるのでしょうか?

一概にはいえませんが、過剰な消費行動というのは、ストレス発散や、自分に自信がないことの裏返しなのかもしれません。「ありのままの自分」だと不安になってしまうから、最新商品や高級ブランドで身を固めて安心感を得たいという部分があると思います。

また、やみくもに流行を追いかけることは、「自分軸」ではなく「他人軸」で生きている証拠にほかなりません。

つまり、自己肯定感の低さが、過剰な消費行動に走らせ、新しい物をどれほど買っても、満足感を得られなくしている面もあるのではないでしょうか。

かくいう私も、日本にやってくると、購買意欲が刺激されて、必要ない物まで買ってしまうことがあります。毎日そんな環境で暮らしていると、ついつい無駄遣いしてしまうのもよくわかります。

でも、買い物によって、あなたが本当に幸せな気持ちになれていなかったら、一度立ち止まってみるべきだと思います。

たくさんの物に囲まれていても、囲まれていなくても、自分は自分。自分の価値は何も変わらないと心から思えれば、過剰な消費に頼らなくても、何も問題ないということに気づくはずです。ドイツ人のように「足るを知る」生き方ができれば、あなたは着飾ることなく、あなたらしさを持ったまま、健やかに過ごしていくことができると思います。

車と言えば「マニュアル車」

「古いものを大切にする」ドイツ人の嗜好は、車の選び方にも表れています。

今から11年ほど前、サッカーをしていた長男が12歳のとき、少し遠くのチームに変わることになり、車での送迎が必要になりました。日本で運転免許を取得したものの、ほとんど運転の経験がないまま移住していた私は、長男の送り迎えのために、再度、車の運転にチャレンジすることにしました。

しかし、わが家の車はマニュアル車です。以前、車にかすり傷をつける事故を起こしてから、私はマニュアル車の運転にまったく自信が持てなかったので、オートマ車を購入することにしました。ところが、インターネットで大きさなどの必要事項を入力して検索してみると、出てくるのはほとんどマニュアル車です。そういえば、わが家の車も、夫が買い替えるのはすべてマニュアル車でした。

21世紀にもなって、なぜいまだにマニュアル車なのか。日本やアメリカではすでにオートマ車は一般的でした。ドイツでも、近年ようやくオートマ車の販売台数は全体の5割程度に伸びてきていますが、日本のオートマ車の販売台数は9割を超えることを考えると、いかにドイツが「マニュアル至上主義」であるかがよくわかります。

オートマを選ぶ必然性はない

23年前、ドイツ移住のために夫が購入したのは、ドイツメーカー「オペル」のマニュアル車でした。すでに日本ではオートマ車が主流でしたが、ドイツではマニュアル車が通常なので、マニュアル免許をわざわざ取得してドイツに移住しました。

当時のドイツでは、オートマ車はほとんど普及しておらず、オートマ車の需要がないのでマニュアル車より高額になると聞いて、ビックリしたのを覚えています。それから12年たった2010年ごろでも、ネット検索で出てくるのはマニュアル車が主流でした。オートマ車にしようとすると、予算額を大幅にオーバーしてしまうのでした。

なぜドイツ人はマニュアル車に乗り続けているのでしょうか?

まずドイツ人には、マニュアル車を運転できない人は未熟で、運転が上手な人ほどマニュアル車に乗るのだという偏見があるようです。ドイツで有名な速度無制限の高速道路「Autobahn（アウトバーン）」をダイレクトな操作感で運転するのは、マニュアル車のほうがいいという認識があります。

また、オートマが普及しづらい理由として一番大きいのは、マニュアル車のほうが燃費が良く、車体の価格がオートマ車に比べて安いからです。さらに、耐久性の面でもマニュアル車のほうがオートマ車より長持ちします。

つまり、マニュアル車の運転が当たり前のドイツ人にとって、高額で、燃費が悪いオートマ車を選ぶ必然性はどこにもないというわけです。

運転操作が簡単になるオートマ車のメリット（そもそもそれがメリットだと思っていないフシもあります）と、マニュアル車の金銭面のメリットを天秤にかけたとき、軍配が上がるのはマニュアル車だというわけです。

一気に電気自動車へ転換？

ただ近年は、オートマやハイブリッドの技術が向上して低価格化が進み、環境問題の観点からも急速に電気自動車やオートマ車への転換が進んできています。

しかしながら、依然としてマニュアル車とオートマ車の価格差は、1000〜2000ユーロ（約13万〜26万円）程度あるようです。現時点でもここまで価格に差があるので、今のタイミングでオートマ車を買うのではなく、電気自動車などが低価格で手に入りやすくなるまで待つ人が多いかもしれません。もともとマニュアルで運転できるのに、無駄なお金を払ってまでオートマ車を選ぶという考えはドイツ人には受け入れがたいため、これまでオートマ車が普及しなかったのだと思います。

ドイツ車と言えば、メルセデス・ベンツ、BMW、アウディ、ポルシェ、フォルクスワーゲンなどが日本人にも人気です。現在これらのブランドでは、環境問題を重視して対応していくためにも、技術の向上したオートマ車の製造をメインに、電気自動車の開発生産を増やしています。価格の問題が解決されれば、世界から何十年も遅れて、ドイツにもオートマ車が普及する時代が訪れるでしょう。

今でも「車は自分で感じて運転するもの」という根強い考えを持つ、車オタクのドイツ人がオートマ車をどう受け入れていくのか、今後の状況の変化は興味深いものです。

「手書き」の慣習を大切にする

最近は、ＬＩＮＥなどのＳＮＳを利用すれば、世界中どこに暮らしていても、メッセージの送信や通話が簡単にできるようになりました。ＳＮＳなしには生活が成り立たなくなっている人も多いと思います。

ドイツに移住した23年前には、ＬＩＮＥのように無料で簡単にコミュニケーションを取れる手段はありませんでした。初めての海外生活と初めての育児で、不安とストレスを抱えていた私は、母親と話したいことがたくさんあり、時差を考えて真夜中に国際電話をかけたものです。月末、電話料金の請求書を見るのが怖かったことをよく覚えています。

国際電話以外には、手紙やファックスがコミュニケーションの主流でした。遠方に離れて暮らすようになってから、手紙を書くことの大事さを初めて強く感じました。それまでは、年賀状以外に手紙を書いたことはほとんどありませんでした。生まれた子どもや海外生活の様子などを親に伝えるために、写真に手紙を添えて郵便で送っていたものです。

最近やっと、高齢の母親もＬＩＮＥを使いこなせるようになり、ビデオや写真もすべてすぐに交換をすることができるようになりました。

本当に便利な世の中になったと思います。その一方で、手紙などで手書きの文字を書く機会は、めっきり減ってしまったという方が多いと思います。

自分で書いたカードを送れる幸せ

ドイツには、昔から変わらない慣習があります。手書きのクリスマスカードや誕生カード、パーティの招待状などを郵便で送り合うのです。

カードによっては、お金のお札を入れることができるものがあり、手書きの文書と一緒にお小遣いを子どもに誕生カードとして送ることもできます。ＳＮＳとの大きな違いは、本人が書いた個性のある文字や上手な〝美文字〟を見ることができて、デジタル文字では味わうことのできない温かみを受けとれることです。

家族同士でカードを送る際には、親も子どもも、一人ひとりが必ず自分の名前のサインをします。このひと手間を加えて、家族一人ひとりの心がこもったカードであることを受け手に伝えるのです。カードを受けとったときは、このひと手間を想像して心はほっこりし、幸せな気持ちになります。

自分がカードを送るときも、送れる相手がいることに幸せを感じます。忙しない日常の中でも、わざわざカードを買いに行き、手書きのメッセージを添えて、相手が喜んでくれる顔を想像すると、自分の心まで豊かになってくるのです。

クリスマスの前の季節になると、プレゼントとカードを送る人たちで、ドイツの郵便局は大行列です。思いを込めて書いたクリスマスカードが、遠くの大切な人に届けられることに、みんな穏やかな幸福感を覚えています。

もちろんこれは、ドイツだけの文化ではありません。日本でも、大切な相手に手紙で気持ちを伝える文化がありますし、老若男女が年賀状や暑中見舞いなどの手紙をやりとりしてきました。でも最近は、若い人を中心に手書きの手紙や年賀状を送る習慣がなくなり、SNSのメッセージで済ませることが多くなっていると聞きます。

せめて1年に1度の年賀状を出すという慣習だけでも続いてくれたらいいのに、と思うのは私だけでしょうか。

うつ対策に効果的な散歩と森林浴

ドイツ人の休日の楽しみは、散歩が基本です。お金がかからず手軽にできるということもありますが、ドイツの風土や気候を知ると、ドイツ人が散歩や森林浴に行く理由がよくわかります。

たとえば12月の日照時間は、東京が平均178時間なのに対し、ミュンヘンでは平均49時間しかありません。特に冬のドイツは太陽を拝める日が限られているので、私はいつも夫に「ドイツの季節は、夏と、夏を待つ寒い冬しかない」と冗談を言います。幸い私の住む南ドイツのミュンヘン近郊は、ベルリンや北の地区に比べると、ドイツの中では日が出ることが多いようです。しかし、日本から来た当初は、かなり薄暗い日が多いと感じました。

夏の天気のいい日曜日には、子どもを連れて、昼すぎにビアガーデンまでベビーカーでお散歩することが楽しみでした。家から目的地までは、歩いて20分くらいですが、その途中に小さな森があり、森林浴も軽い運動もできて、おまけに子どもはすやすや寝てくれていいことずくめです。育児のストレスも癒やせて、外のいい空気を吸えて、夫は美味しいビールも飲めるという、家族みんなが幸せな時間を過ごしていました。

子どもが中学生になると、子ども同士の世界ができるので、一緒に散歩したり家族みんなで日曜日に行動したりすることが難しくなってきましたが、それでもお気に入りのレストランに行くのを口実に家族で出かけ、食後には近くの牧場のまわりや森の中を歩きました。少しの時間ではありますが、太陽の日差しや森の中の柔らかい光を浴びたり、ひんやりとした空気を感じたりと、ちょっとした瞑想空間のようで心は落ち着きました。

どの森にも自由に入れる「森の国」

散歩で太陽の日差しを浴びることは、メンタル面でも良い効果があるとされています。ビタミンDが不足すると、うつ病になりやすくなると言われていますが、ビタミンDを生成するには太陽の日差しを浴びる必要があるそうです。そのため、ドイツでは日照時間が短い冬に積極的に外に出ていき、できるだけ日差しを浴びようとするのです。

そう言えば、長男が生まれてすぐ小児科医から、ビタミンDの錠剤をスプーンでつぶし、ミルクと一緒に与えるようにと指導されて実践していたことがあります。ドイツの連邦食糧・農業省（ＢＭＥＬ）が1歳未満の赤ちゃんへのビタミンDの補充を勧めているのです。

太陽が出てくる季節になると、庭に水着姿になって寝そべっているおばあさんやおじいさんの姿を見かけますし、公園には夏になると日光浴をする人がたくさん集まります。

ドイツの都市は森に囲まれるように存在しているので、街中の公園で飽き足りない人は、電車に乗って簡単に郊外の森へ行くこともできます。「ドイツは森の国」と評されていますが、ドイツには「森林法」という法律があり、公有・私有にかかわらず（例外もありますが）森林に立ち入ることが認められているので、自由に森に行くことができるのです。

森林浴には、リラックス効果があると言われています。散歩同様、ドイツ人は時間があると、森へ出かけて自然に触れながら歩く習慣があります。

日本人も、心のゆとりを持つために、ドイツ人のように森林浴や散歩をすることをオススメします。気晴らしやリフレッシュ、瞑想の目的でもいいですし、ただブラブラ歩くだけでも、精神的な安らぎを得ることができます。

「家族でＤＩＹ」が楽しい

ドイツでは、１回だけ引っ越しを経験しました。現在住んでいる家は１９６０年代に建てられた家で、住むのにはだいぶ修理が必要でした。

家の修理を業者に頼むと、人件費や税金が高額になってしまうことや、依頼してもイメージどおりに仕上がらないこともあり、自分たちでやってしまうドイツ人が少なくありません。古くからある家を修理して、大事にするのがドイツの人たちなのです。

ホームセンターには家を建てるための材料がすべて用意されているので、その気になれば自分で一から家を建てることもできます。

親子で共同作業

わが家は、前の家主が壁紙や壁の塗装の仕事をしていた関係で、いたるところに壁紙が何重にも貼られていました。私たちはペンキで塗った壁にしたかったので、まず壁紙をはがすことにしましたが、それだけで4日以上かかりました。結局夫は2週間の長期休暇を取得して、キッチンからリビング、寝室、子ども部屋、トイレ、バスルームのペンキ塗りに加えて、リビング、寝室、階段などの床のリメイクまで自分でやることにしました。

自分の手で自分の家を居心地の良い空間へと変えていく作業は、時間と苦労を伴いますが、完成するとこの上ない喜びを味わえます。自分でできたという達成感もたまりません。これがDIYの醍醐味だと言えるでしょう。

DIYは、家族と一緒にするのもオススメです。あるとき、子どもたちから「部屋の模様替えをしたいので壁を塗るのを手伝って」と頼まれました。二人とも壁のペンキ塗りは初めてで、思いどおりの部屋にするために一生懸命でした。こうした子どもたちとの共同作業は楽しい思い出となり、その後のコミュニケーションも深まりました。DIYなどで親子で共同作業をする時間は、親子の絆を深くしてくれるのです。

放課後が長いぶん親子の時間が持てる

自宅のリフォームが難しい人は、インテリアや雑貨を手作りするだけでも十分です。

子どもが小さいころ、どんぐりやとちの実、小枝や葉っぱなどの自然素材を持ち帰って、子どもたちと一緒に手作りの飾り物をよく作りました。長女は今、思春期の真っただ中ですが、一緒に陽だまりの中で過ごした時間は、今もはっきりと覚えているそうです。

ドイツでは幼稚園や小学校、高校に至るまで、総じて学校の授業時間は短く、高校生でも週2回以外は13時過ぎに授業は終わってしまいます。学校では通常、部活動もクラブもないので、授業が終われば昼食を食べに家に帰ってきます。また、塾通いも少ないので、宿題や習い事をしたとしても、放課後に時間の余裕があります。そのため、ドイツでは比較的、親が子どもと過ごす時間を持つことは容易なのです。

日本とドイツの学校のシステムや教育の仕方は異なるので、すぐに同じようにするわけにはいかないと思いますが、わずかな時間でも子どもと共に過ごす時間を増やしていくことで、かけがえのない親子の信頼関係が結ばれていくはずです。

信頼感で結ばれた家族と過ごす時間が多いことが、ドイツ人の生活満足度を高めているのは間違いないでしょう。

一人ひとりが「エコ生活」を始めよう

長女が13歳のとき、学校から帰ってくるなり、「私たちの将来のために、今すぐに環境を守っていかなければいけないのよ」と、頭から湯気を出しているのではないかというくらいの勢いで私に訴えかけました。

よくよく話を聞くと、学校の授業で地球温暖化の問題がテーマになったそうです。たとえば、森林の伐採、牛から出るメタンガス、ミツバチの保護、車から出る排気ガスなどの問題について、さまざまな意見が交わされたようでした。もともと、ドイツは地球環境保護に取り組む国として世界でも認知され、リサイクル大国でもあります。

ドイツの基本法（憲法）では「次世代のために自然を守る責任がある」とうたわれています。それほど、みんなで子どもたちの未来を守っていこうという意識が高いのです。

今年16歳になった長女は、地球温暖化の原因になるメタンガスを減少させるためには、一人でも多くの人が肉食をやめる必要があるのではないかと自主的に考え、お肉を食べるのを減らすようになりました。同級生には、ベジタリアンになった人も数名いるようです。

長女は学校で、環境問題について、「英語」「ドイツ語」「社会」「経済と法律」「生物」のそれぞれの授業で学んでいます。環境問題は常に考えていく必要のあるテーマなので、各学年のそれぞれの教科で取り上げられているのです。

庭の木を切るにも許可が必要

環境を守ることについて、身近なことで驚いたのは、家の庭の木が高くなって伐採したくても、勝手に処理ができないことです。役所に申請し、許可をとることが必要です。

引っ越し当初、庭の真ん中には背の高い木が植えてあり、日中でも家の中が暗くなってしまうので、その木を伐採しようとしました。でも、木を切る許可が下りるかどうかは、木の種類、高さ、太さなどによって決まります。また、木を伐採した後は、その木の代わりに新たな木を植えなければいけないという規定まであります（地域によります）。

また近年、環境問題のトピックとしてよく話題にのぼるのが「ミツバチの絶滅の危機」です。世界の食料の9割を占める100種類の作物のうちの7割は、ミツバチが花粉を運ぶことによって実っていると言われています。ミツバチは私たちが生きる上で非常に重要な役割を担っているのです。しかし、地球温暖化や農薬などによる環境汚染によって、世界中のミツバチの数が急速に減少しています。ドイツの家庭で養蜂をしている人が多いのは、この問題を意識しているためです。

ホームセンターにも売られている虫のホテル。

また、車道の緑地帯などには子どもたちがボランティアで手作りした「虫のホテル」もよく見かけます。ハチのほかにも、テントウムシやチョウなどの住処《すみか》になっています。

ドイツでは自然環境を守ろうという取り組みが、個人レベルから地域や国をあげてまで、さまざまなフェーズで行なわれているのです。

そうしたこともあって、ドイツは「環

境に優しい国」とイメージする人も多くいます。たしかにドイツで長年生活しているとあらゆる場面で環境への配慮が垣間見られます。

たとえば、ゴミを出さない努力や、出たゴミの再利用も徹底しています。2016年にはスーパーでのプラスチック製レジ袋が有料化され、紙袋やエコバッグを使うのが当たり前になりました。衣料品店や書店、電気店などでも、プラスチック製レジ袋から、再生可能な紙や環境に優しいジュート素材でできた袋に変わりつつあります。2022年には、すべての小売業者によるプラスチック製レジ袋の販売や配布が禁止される予定です。

リサイクルのシステムも多様

また、スーパーではビール瓶やペットボトルを回収し、再利用しています。スーパーの入り口にある自動回収機にボトルを投入すると、種類別にいくらになるかをバーコードで読み取ってくれ、最後に合計金額が載ったレシートが出てきます。レジでそれを差し出すと、買い物代金から差し引かれる仕組みになっています。

私の住むミュンヘン近郊では、生ゴミは週1回、普通ゴミは2週間に1回、粗大ゴミと缶、瓶、紙は月に1回の回収があります。もし回収日前にゴミが溜まってしまった場合は、コンテナが通りに置いてあるので、瓶や缶ならいつでもコンテナに捨てて構いません。

個人的によく利用しているのは、洋服や靴のコンテナです。町の各所に置かれているコンテナに、不要になった靴や洋服をビニールに入れて規定の状態で投げ込むだけで、リサイクルに回すことができます。

衣服リサイクルのためのコンテナ。

自然の豊かさはまるで昭和の日本

ドイツがエコ先進国であることは、街中を歩いているだけでも実感します。

ドイツは都市部でも緑が豊富で、道路わきにはちょっとした茂みがよくあります。日本から来てまもないころ、道を歩いていると、茂みから「カサッ、コソッ」という音が聞こえ、誰かがつけて来ているかヘビでもいるのかと、怖い思いをしたことがあります。その正体は、キュウカンチョウに似たクロウタドリという鳥でした。ほかに、アオガラやシジュウカラ、スズメなども頻繁に目にする鳥たちです。私のお気に入りは、シラカバの木にときおり留まっているヨーロッパアオゲラ（キツツキの一種）です。

毎年ドイツ自然保護連盟（NABU）という団体が、鳥の種類や数の調査を一般市民にラジオで呼びかけています。野生動物を保護しようという風潮が国全体にあるのです。

鳥以外にも、街中でリスがいたり、夜にハリネズミが道路を横切っていたり、緑地には野ウサギがいたり、庭にはホタルが飛んでいたりと、まるで昭和時代の日本の田舎にタイムスリップしたかのような豊富な自然がドイツには残されています。アリをはじめ虫も多く、気温が低めなので大きなゴキブリこそ見ませんが、クモが家の中にいるのは日常茶飯事です。

そうした自然豊かな環境が身近にあり、幼いころから学校教育によって真剣に環境問題を考えていこうというドイツの姿勢は、素直に学ぶべき点が多いと思います。

環境問題はまず自分の心のゆとりから

日本でも最近、ＳＤＧｓ（持続可能な開発目標）に関心が持たれ、環境問題に取り組む企業も増えてきました。しかし、根本的な部分で、「それが世界の潮流だから」といった受け身の意識だと、今後の広がりは限定的になってしまうでしょう。

地球環境問題に目を向けるためには、個々人に心のゆとりがなければ叶いません。慌ただしい毎日を送り、他人の評価ばかり気になって、無駄な気苦労ばかりに時間をとられ、本当に大切なことに時間を使えていないと、心はどんどん荒《すさ》んできます。荒んだ心では、他者を思いやれないし、ましてや地球を思いやることなどできるわけもありません。

そうです。ドイツ人が環境問題への意識を高く保てるのは、「自分軸」のある自己肯定感の高い生き方ができているからなのです。

突然、「地球を大切にしよう」と言われても、白々しく感じる人もいるでしょう。まずは、「自分自身を大切にする」こと。そして、「家族や友人など自分のまわりの人を大切にする」こと。その延長線上に「ご近所さん」や「地域社会」や「国」があり、最終的には「地球」

にたどり着きます。

ぜひ、まずは「自分自身を大切にする」ことから始めましょう。

自分のことを大切にできるようになれば、きっと近い将来、地球を大切にしたいという思いが湧き上がってくるはずです。かくいう私も、そうありたいと思っています。

エピローグ　ドイツと日本の〝いいとこ取り〟を

最後までお読みくださり、ありがとうございました。

この本があなたにとって、「何のために働くのか？」「自分にとって幸せとは何か？」を考える一助となることを願っております。

他人の目が気になり、自分に自信がなかった私は、ドイツ人の生き方を目の当たりにし、また病気をきっかけに、ありのままの自分を肯定できるようになりました。

たとえ今は、苦しみやつらいストレスを抱えていたとしても、自己肯定感が高まっていけば、暗いトンネルを抜け出し、人生は輝き出すはずです。

自分に優しく、自分を受け入れてあげてください。

あなたは、あなたのままでいいのです。

人生は一度だけ。幸せな人生を過ごすために、心の声を聴いてあげましょう。

この本では、自分軸を持ったドイツ人の生き方を参考にしようとお伝えしてきましたが、もちろん、すべてにおいてドイツ人の真似をしていく必要はありません。

ドイツにも、日本にも、お互いに尊敬すべき長所がたくさんあります。

まわりの空気を読んで妥協していける日本人の柔軟さは、チームワークを育むには欠かせない能力です。その長所を生かしながら、ドイツ人的なぶれない心やこだわりを持って物事に取り組んでいけば、日本人は世界で活躍できるオンリーワンの人材になれると私は思うのです。

ドイツと日本の〝いいとこ取り〟をして、グローバル社会を軽やかに歩んでいきましょう。

この本を書くにあたって、家族にも話していなかったがんのときの気持ちや、人には話しづらい家庭不和の事実を開陳することにしました。躊躇がなかったと言えば嘘になります。しかし私の経験が、闘病中の方や、家族関係がうまくいっていない方などのお役に少しでも立てばと、ありのままのことを着飾らずに書きました。

ネガティブな出来事はポジティブな未来に向かっていくきっかけなのだ――ということを信じて、前向きに歩んでいきましょう。

数々の出会いに支えられて、今の私がいることを実感しています。

この本をこうしてみなさんにお届けできたのも、ブックリンケージの中野健彦さんのおかげです。企画当初からずっと私を見放すことなく、付き添ってくださいました。本当に感謝の気持ちで一杯です。

そして、初めての執筆で、私のまとまりのない文章を編集してくださった堀田孝之さんの存在なしでは、出版は叶いませんでした。

また、出版を目指してから、コロナ・パンデミックが起こり、月日がゆっくりと進んでいく中で、ついに小学館の関哲雄編集長とつながり、夢が現実となりました。本当にありがとうございます。出版の夢が叶った今年は、私にとって人生最高の年になりました。人生の折り返し地点はとっくに過ぎていますが、本の出版を新しいスタート地点として、さまざまなことにチャレンジしていきたいと思います。

最後に、聖也くん、日菜乃ちゃん。母のわがままを、驚くほどの忍耐と、年上のような広い心で支えてくれてありがとう。夫にももちろん感謝しています。

また、私のことを常に心配し、毎日私のＬＩＮＥ通話に付き合ってくれる母に、心から「ありがとう」と伝えたいと思います。

そして読者のみなさまに、あらためて心からの感謝を申し上げ、筆をおくことにいたします。

キューリング恵美子

２０２１年10月　一時帰国中の日本にて

キューリング恵美子［きゅーりんぐ・えみこ］

埼玉県出身。大学卒業後、大手靴メーカー、旅行会社を経て、ドイツ企業の日本本社に勤務。ドイツ人との結婚を機に、30代でミュンヘン近郊に移住。長男長女を出産し異文化の中で子育てに奮闘。ドイツ在住は20年を超える。また、バレエ留学生のコーディネイトやライフアドバイザーなど、起業家としての顔も持つ。50歳で大病に見舞われたのをきっかけに、ドイツ人の自己肯定感の高い生き方を見直すようになる。データ上には表れない「生身のドイツ」を知る数少ない日本人として精力的に情報発信を行なっている。

企画協力：松尾昭仁（ネクストサービス）
プロデュース：中野健彦（ブックリンケージ）
DTP：中村敦子（プリ・テック）
編集：関 哲雄
編集協力：堀田孝之

ドイツ人はなぜ「自己肯定感」が高いのか

二〇二一年十一月三十日　初版第一刷発行

著者　キューリング恵美子
発行人　鈴木崇司
発行所　株式会社小学館
〒一〇一－八〇〇一　東京都千代田区一ツ橋二ノ三ノ一
電話　編集：〇三－三二三〇－五九五一
販売：〇三－五二八一－三五五五
印刷・製本　中央精版印刷株式会社

Printed in Japan ISBN978-4-09-825414-9